Guia de Conversação
Inglês

Porto
Editora

Título
Guia de Conversação – Inglês

Conceção e coordenação
Porto Editora

Adaptação para a língua inglesa
Kennistranslations – Maisie Fitzpatrick

© Porto Editora

1.ª edição: fevereiro de 2000
Reimpresso em novembro de 2019

Rua da Restauração, 365
4099-023 Porto
Portugal

www.portoeditora.pt

Execução gráfica **Bloco Gráfico**
Unidade Industrial da Maia.
DEP. LEGAL 392425/15
ISBN 978-972-0-01939-4

INTRODUÇÃO

O **Guia de Conversação de Inglês** é um auxiliar indispensável em todas as deslocações aos países de língua inglesa, proporcionando as bases fundamentais para uma comunicação eficaz nas situações mais habituais em viagens de turismo, negócios ou no dia a dia.

Para facilitar o acesso aos conteúdos e permitir uma consulta rápida, o **Guia de Conversação de Inglês** foi organizado em diversas partes:

A primeira, *Noções breves de gramática*, apresenta de forma muito acessível algumas noções essenciais da gramática inglesa, permitindo compreender melhor o funcionamento da língua e fornecendo os elementos básicos para a enunciação de frases elementares.

Seguem-se sete capítulos correspondentes a sete temas relevantes (*Viagem*, *Transportes*, *Alojamento*, *Restauração*, *Saúde*, *Cidade* e *Natureza e Desporto*) que sistematizam vocabulário e expressões específicos de cada caso, com recurso a ilustrações que tornam mais prática a consulta dos termos essenciais.

Por fim, o capítulo *Referência Rápida* reúne, de forma mais genérica, o vocabulário fundamental e as frases mais correntes da vida quotidiana.

O relacionamento entre assuntos afins encontra-se simplificado através da inclusão de remissões no fim das páginas.

Índice

Noções breves de gramática

Alfabeto

O conhecimento do alfabeto (**the alphabet**) em inglês é muito importante, sobretudo porque, com alguma frequência, surgem situações em que é necessário soletrar um nome ou direção (**spell a name or an address**), numa agência de viagens ou num hotel, por exemplo.

Eis o alfabeto completo, com a indicação da pronúncia.

a	*ei*
b	*bi*
c	*ci*
d	*di*
e	*i*
f	*ef*
g	*djí*
h	*heitch (âitx)*
i	*ái*
j	*djei*
k	*kei*
l	*él*
m	*ém*
n	*én*
o	*ou (âu)*
p	*pi*
q	*quíu (kiú)*
r	*ár*
s	*éss*
t	*ti*
u	*iú*
v	*vi*
w	*dâbliú*
x	*éks*
y	*uai*
z	*zéd*

GUIACIN © Porto Editora

Fonética e pronúncia

Sons vocálicos

Quanto aos sons vocálicos há a considerar as seguintes particularidades:

â (machine)   corresponde ao "a" de para.

á (car)   corresponde ao "a" de par.

ai (rhyme)   corresponde ao "ai" de cai.

au (soak)   tem um som intermédio entre "au" e "ou".

ê (ten)   corresponde ao "e" de mesa.

é (pet)   corresponde ao "e" de pé.

ei (fate)   corresponde ao "ei" de rezei.

i (eve)   corresponde ao "i" de frio.

iú (dune)   corresponde ao "iú" de baiúca.

ou (bow)   tem um som intermédio entre "ô" e "ó".

ó (knot)   corresponde ao "o" de pó.

ói (boy)   corresponde ao "ói" de rói.

ú (full)   corresponde ao "ú" de tule.

ae (bath)   tem um som intermédio entre "a" e "e".

Sons nasais

A única vogal nasal é **im**.

Nos grupos **am, em, im, om, um** ou **an, en, in, on, un** o "m" ou "n" finais pronunciam-se separadamente.

> Ex.: **morning**   mó : nin

Consoantes

GUIA CIN © Porto Editora

As principais diferenças no que respeita ao português são:

ch Pronuncia-se "tch".
   Ex.: **cheese, chew, cherry**

g Antes de um *e* lê-se "dj", como em **general** e **emergency**.
   Antes de um *i* lê-se "gui", como em **girl** e **give**.

h No início da palavra e entre vogais, é aspirado e lê-se exalando um pouco o ar.
   Ex.: **house, hotel, happy**
   Excetuam-se as palavras **honesty, hour, honour** e **heir**, onde o *h* é mudo, como em português.

j Pronuncia-se "dj".
   Ex.: **June, jelly**

ph Pronuncia-se como o "f" português.
   Ex.: **photo, phone, phrase**

r Pronuncia-se enrolando a língua na parte de trás da boca.
   Ex.: **road, around**
   No final da palavra, prolonga o som que o antecede.
      Ex.: **car**

sh Pronuncia-se como o "ch" português.
   Ex.: **shoe, sheperd, shirt**

th Pronuncia-se de duas formas:
   – Colocando a língua atrás dos dentes e pronunciando como um "d".
      Ex.: **than, that, their, them**
   – Colocando a língua entre os dentes e soprando suavemente.
      Ex.: **thank, thick, thin, throw**

Estrutura da frase

A estrutura corrente da frase simples em inglês é igual à do português:

sujeito + *verbo* + complemento (nome)

   Ex.: Eu *quero* duas maçãs.   I <u>want</u> two apples.

Se o complemento é um pronome, a ordem é semelhante:

sujeito + verbo + *pronome complemento*

   Ex.: Quero duas *delas*.   I want two <u>of them</u>.

Artigos

Na maioria dos países europeus o uso (ou não) do artigo depende do género do nome (substantivo) e se ele é singular ou plural.
Em inglês, só temos que tomar em conta o singular ou plural. Geralmente, nomes próprios não requerem identificação.

Ex.: A Sofia joga ténis.　　**Sofia plays tennis.**

Definidos

Antecedem os substantivos e são normalmente usados para especificarem um objeto.
The não varia na sua forma, quer se refira a pessoas ou coisas, quer no singular ou plural.

Exemplos:

o homem	the man	os homens	the men
a flor	the flower	as flores	the flowers
o polícia	the policeman	os polícias	the policemen
a mala	the suitcase	as malas	the suitcases
o rato	the mouse	os ratos	the mice
o jogo	the game	os jogos	the games

Indefinidos

Antecedem os nomes (substantivos), sem os determinar em particular, podendo ser usados apenas com nomes singulares passíveis de representar quantidades; **an** antecede um nome com um som vogal (**vowel sound**) ou "h" mudo.

Exemplos:

um livro	a book	uns livros	books
uma caneta	a pen	umas canetas	pens
um relógio	a watch	uns relógios	watches
uma hora	an hour	umas horas	hours
um ovo	an egg	uns ovos	eggs
um guarda-chuva	an umbrella	uns guarda-chuvas	umbrellas

Nomes

GUIACIN © Porto Editora

Formação do plural

A regra geral para a formação do plural em inglês consiste em acrescentar a terminação **-s** em todos os nomes que exprimam quantidades definidas.

Ex.: livro, livros	**book, books**
olho, olhos	**eye, eyes**
cadeira, cadeiras	**chair, chairs**
mesa, mesas	**table, tables**
televisão, televisões	**television, televisions**
passaporte, passaportes	**passport, passports**

Os nomes que exprimam quantidades não definidas, bem como todos os adjetivos, não sofrem qualquer alteração no plural.

Ex.: madeira preciosa, madeiras preciosas	**precious wood**
informação, informações	**information**
água, águas	**water**
noticía, noticías	**news**
mobília, mobílias	**furniture**
queijo, queijos	**cheese**

Aos nomes terminados em **-o**, **-s**, **-x**, **-ch**, **-sh**, **-ss**, acrescenta-se **-es**.

Ex.: batata, batatas	**potato, potatoes**
turma, turmas	**class, classes**
caixa, caixas	**box, boxes**
igreja, igrejas	**church, churches**
cinza, cinzas	**ash, ashes**
vestido, vestidos	**dress, dresses**

Relativamente aos nomes terminados em **-y**, antecedidos de uma vogal, segue-se a regra geral de acrescentar **-s**.

Ex.: brinquedo, brinquedos	**toy, toys**
tabuleiro, tabuleiros	**tray, trays**
chave, chaves	**key, keys**
rapaz, rapazes	**boy, boys**
cinzeiro, cinzeiros	**ashtray, ashtrays**
macacos, macacos	**monkey, monkeys**

Relativamente aos nomes terminados em **-y**, antecedidos de uma consoante, corta-se o **-y** e acrescenta-se **-ies**.

Ex.: cidade, cidades   **city, cities**
país, países   **country, countries**
bebé, bebés   **baby, babies**
camião, camiões   **lorry, lorries**
história, histórias   **story, stories**
passatempo, passatempos **hobby, hobbies**

Alguns nomes terminados no singular em **-f**, **-fe** alteram o **-f**, **-fe** para **-ves**.

Ex.: faca, facas   **knife, knives**
ladrão, ladrões   **thief, thieves**
esposa, esposas   **wife, wives**
cachecol, cachecóis   **scarf, scarves**
vida, vidas   **life, lives**
bezerro, bezerros   **calf, calves**

Existem, no entanto, numerosas exceções a estas regras.

Ex.: pé, pés   **foot, feet**
rato, ratos   **mouse, mice**
homem, homens   **man, men**
criança, crianças   **child, children**
carneiro, carneiros   **sheep, sheep**
antena, antenas   **antenna, antennae**

Adjetivos

Forma e uso dos adjetivos qualificativos

O adjetivo qualificativo em inglês é colocado junto ao nome e nunca varia em forma, quer se refira a pessoas ou objetos no singular ou plural.

Ex.: pedra preciosa, pedras preciosas **precious stone, precious stones**
mulher elegante, mulheres elegantes **elegant woman, elegant women**
bolo delicioso, bolos deliciosos **delicious cake, delicious cakes**
foto bonita, fotos bonitas **beautiful photo, beautiful photos**
lugar sossegado, lugares sossegados **quiet place, quiet places**

GUIACIN © Porto Editora

Adjetivos demonstrativos

Antecedem sempre o nome, não dependendo do género.

este esta isto	this	estes estas	these	esse essa aquilo	that	esses essas	those

Ex.: Este rapaz.   This boy.   Aquele homem.   That man.
     Estas raparigas.   These girls.   Aquelas senhoras.   Those women.

Adjetivos possessivos

Antecedem sempre o nome.

o(s) meu(s)	my		o(s) nosso(s)	our
a(s) minha(s)			a(s) nossa(s)	
o(s) teu(s)	your		o(s) vosso(s)	your
a(s) tua(s)			a(s) vossa(s)	
o(s) dele(s)	his		o(a) deles(as)	their
a(s) dela(s)	her		os(as) deles(as)	
(neutro)	its *		os/as (neutro)	

Ex.: O meu passaporte.   My passport.
     Os seus (deles) documentos.   Their documents.

* Sempre que se refere a um objeto, animal, lugar, etc.
    Ex.: A sua cor (do livro).   Its colour.

Pronomes pessoais

Pronomes sujeito

eu	I		nós	we
tu	you		vós	you
ele	he		eles	they
ela	she		elas	
neutro	it *			

-se	one **

* Sempre que se refere a um objeto, qualidade, evento, lugar, etc.; o seu plural é they.
    Ex.: É um livro.   It is (it's) a book.   São livros.   They are (they're) books.

** Pronome indefinido.
    Ex.: Fala-se Inglês.   One speaks English.

Pronomes complemento direto e indireto

Compl. direto	Compl. indireto		Direct and indirect object
	Sem preposição	Com preposição	
me	me	mim	me
te	te	ti	you
o	lhe	ele / si	him
a		ela / si	her
nos	nos	nós	us
vos	vos	vós	you
os	lhes	eles / si	them
as		elas / si	
neutro			it

Ex.: Convida-os para a festa!   Invite them to the party!

Pronomes possessivos

Indicam a quem pertence um ser, coisa ou ideia (substituindo o nome).

o(s) meu(s)	mine
a(s) minha(s)	
o(s) teu(s)	yours
a(s) tua(s)	
o(s) dele(s)	his
a(s) dela(s)	hers

o(s) nosso(s)	ours
a(s) nossa(s)	
o(s) vosso(s)	yours
a(s) vossa(s)	
o(a) deles(as)	theirs
os(as) deles(as)	

Ex.: O meu nome é Tiago, e o teu?   My name's Tiago, and yours?

Pronomes demonstrativos

isto	this
este	
aquilo	that
aquele	

estes	these
aqueles	those

Ex.: Este é o livro de que te falei.   This is the book I told you about.

Pronomes indefinidos

As formas terminadas em **-one** e **-body** referem-se a pessoas, as formas terminadas em **-thing** referem-se a objetos e as formas terminadas em **-where** referem-se a lugares.

Todos os pronomes indefinidos concordam com verbos no singular.

GUIACIN © Porto Editora

* some-	
someone	alguém
somebody	
something	alguma coisa
somewhere	algum sítio

** any-	
anyone	ninguém / alguém
anybody	
anything	nada / alguma coisa
anywhere	nenhum sítio / algum sítio

*** no-	
no one	ninguém
nobody	
nothing	nada
nowhere	nenhum sítio

every-	
everyone	todos / toda a gente
everybody	
everything	tudo
everywhere	todo o sítio

* Os pronomes indefinidos começados por **some-** são usados na *afirmativa*.

Ex.: Falei com alguém que tu conheces.   **I talked to <u>someone</u> you know.**

Em perguntas cuja resposta esperada seja "sim".

Ex.: Querias alguma coisa?   **Was there <u>something</u> you wanted?**

Em ofertas, pedidos ou solicitações.

Ex.: Queres beber alguma coisa?   **Would you like <u>something</u> to drink?**

** Os pronomes indefinidos começados por **any-** são usados quando o verbo se encontra na *negativa*.

Ex.: Não há ninguém que te possa ajudar.   **There *isn't* <u>anyone</u> who can help you.**

Em perguntas cuja resposta é duvidosa.

Ex.: Há alguém aqui que seja médico?   **Is there <u>anyone</u> here who's a doctor?**

*** Os pronomes indefinidos começados por **no-** são usados quando o verbo se encontra na *afirmativa*.

Ex.: Não há ninguém aqui.   **There *is* <u>no one</u> here.**

Verbos

Verbos auxiliares

Os verbos auxiliares mais correntes em inglês são três:

to be ("ser" ou "estar"), **to do** ("fazer") e **to have** ("ter" ou "haver").

Simple Present Tense Presente do Indicativo			

To be		forma contraída	
I	am	**I'm**	sou / estou
You	are	**You're**	és / estás
He / She / It	is	**He's / She's / It's**	é / está
We	are	**We're**	somos / estamos
You	are	**You're**	sois / estais
They	are	**They're**	são / estão

To do		
I	do	faço
You	do	fazes
He / She / It	does	faz
We	do	fazemos
You	do	fazeis
They	do	fazem

To have		forma contraída	
I	have	**I've**	tenho
You	have	**You've**	tens
He / She / It	has	**He's / She's / It's**	tem
We	have	**We've**	temos
You	have	**You've**	tendes
They	have	**They've**	têm

GUACIN © Porto Editora

Simple Past Tense
Pretérito Perfeito

To be

I	was	fui / estive
You	were	foste / estiveste
He / She / It	was	foi / esteve
We	were	fomos / estivemos
You	were	fostes / estivestes
They	were	foram / estiveram

To do

I	did	fiz
You	did	fizeste
He / She / It	did	fez
We	did	fizemos
You	did	fizestes
They	did	fizeram

To have

I	had	tive
You	had	tiveste
He / She / It	had	teve
We	had	tivemos
You	had	tivestes
They	had	tiveram

Tempos verbais

Presente do Indicativo The Simple Present Tense

O **Presente do Indicativo** é usado para descrever hábitos, acontecimentos repetidos, costumes e factos de veracidade.

I	want	quero
You	want	queres
He / She / It	wants *	quer
We	want	queremos
You	want	quereis
They	want	querem

I	go	vou
You	go	vais
He / She / It	goes **	vai
We	go	vamos
You	go	ides
They	go	vão

I	buy	compro
You	buy	compras
He / She / It	buys ***	compra
We	buy	compramos
You	buy	comprais
They	buy	compram

* Na maioria dos verbos acrescenta-se -s à base do verbo na 3.ª pessoa do singular.

** Quando a base termina em -o, -ss, -sh, -ch, -x, -z, acrescenta-se -es na 3.ª pessoa do singular.

*** No caso de um verbo terminado em -y antecedido de uma vogal, acrescenta-se -s à 3.ª pessoa do singular. No caso de um verbo terminado em -y antecedido de uma consoante, corta-se o -y e acrescenta-se -ies.

I	cry	chora
You	cry	choras
He / She / It	cries ***	chora
We	cry	choramos
You	cry	chorais
They	cry	choram

Presente Progressivo Present Continuous

GUIACIN © Porto Editora

O **Presente Progressivo** descreve ações ou eventos que estão a decorrer no momento em que se fala. Também é usado para descrever situações e ações temporárias.

I'm	
You're	* playing / waiting
He's	
She's	** writing / dancing
It's	*** swimming / beginning
We're	
You're	**** lying / dying
They're	

* O presente progressivo é formado com o presente do verbo **To be** + a forma **-ing** do verbo. Acrescenta-se **-ing** na maioria dos verbos.

   Ex.: **play – playing**
   catch – catching
   buy – buying
   look – looking
   study – studying

** Se um verbo terminar em **-e**, omitimos o **-e** e acrescentamos **-ing**. Esta regra não se aplica a verbos terminados em **-ee**.

   Ex.: **write – writing**
   make – making
   come – coming
   foresee – foreseeing
   see – seeing

*** Um verbo com uma vogal entre duas consoantes, dobra a última consoante antes de acrescentar **-ing**.

   Ex.: **swim – swimming**
   run – running
   sit – sitting
   trim – trimming
   travel – travelling

**** Um verbo com uma terminação **-ie**, omitimos o **-ie** e acrescenta-se **-y** antes de **-ing**.

   Ex.: **lie – lying**
   tie – tying
   die – dying
   hie – hying

Pretérito Perfeito The Simple Past Tense

Utiliza-se o **Pretérito Perfeito** para falar de ações, situações ou eventos que ocorreram e terminaram no passado. Preocupamo-nos em saber <u>quando</u> a ação ocorreu e não a sua duração.

To play	I	play<u>ed</u>	
To arrive	You	arriv<u>ed</u>	
To work	He	work<u>ed</u>	
To wait	She	wait<u>ed</u>	a forma é igual para
To dance	It	danc<u>ed</u>	todas as pessoas.
To stop	We	stopp<u>ed</u>	
To study	You	studi<u>ed</u>	
To live	They	liv<u>ed</u>	

A terminação dos verbos regulares é sempre **-ed**.
Alguns verbos irregulares têm a mesma forma do presente no passado.

Ex.: cortar   to cut / cut
pôr   to put / put

No entanto, a forma passada de muitos verbos irregulares é diferente da sua forma presente (ver p. 21).

Passado Progressivo Past Continuous

O **Passado Progressivo** é usado para descrever ações ou situações que estavam a decorrer num tempo indefinido no passado (às vezes não se sabe se a ação foi terminada ou não).

O passado progressivo é formado com o passado do verbo **to be** + a forma **-ing** do verbo.

I	was	playing
You	were	speaking
He	was	writing
She	was	arriving
It	was	swimming
We	were	chatting
You	were	lying
They	were	tying

Presente Perfeito Present Perfect

O **Presente Perfeito** é usado de duas maneiras em inglês.

1. Descreve uma ação que iniciou no passado e tem continuação até ao momento presente (e possivelmente no futuro).

2. Refere-se a ações que ocorreram (ou não) num tempo não específico no passado com alguma ligação ao presente.

		forma contraída	
I	have	I've	waited
You	have	You've	arrived
He	has	He's	worked
She	has	She's	stopped
It	has	It's	written
We	have	We've	swum
You	have	You've	begun
They	have	They've	spoken

O **Presente Perfeito** é formado com o presente do verbo **to have** + o particípio passado do verbo (última coluna à direita).

Para os verbos regulares, a sua forma no particípio passado é igual à sua forma no passado.

Para os verbos irregulares, o passado e o particípio passado podem ser formados de várias maneiras.

Ex.: beber drink – drank – drunk
ir go – went – gone
ver see – saw – seen

Futuro The Simple Future Tense

O **Futuro Simples** é usado para prever eventos, ou seja, diz respeito ao que a pessoa pensa vir a acontecer.

O **Futuro Simples** é formado com **will** + verbo (forma base).

A negativa de will é:
will not = won't (forma contraída).

* will é utilizado para todas as pessoas.

		forma contraída	
I	* will	I'll	work
You	will	You'll	stay
He	will	He'll	go
She	will	She'll	arrive
It	will	It'll	ask
We	will	We'll	send
You	will	You'll	play
They	will	They'll	try

Forma would do verbo will

A forma **would** do verbo **will** é normalmente usada em situações formais e na aplicação do modo condicional.

Ex.: Poderia fechar a janela, por favor?   Would you close the window, please?
Se eu fosse a ti, estudava.   If I were you, I would study.
Eu bebia uma cerveja.   I would drink a beer.

Se for usado com os verbos **to like** ou **to wish** é necessário colocar **to** antes do verbo da ação.

Ex.: Gostaria de beber uma cerveja.   I would like to drink a beer.

Would é igual para todas as pessoas do singular e do plural, bem como a sua forma contraída: **I'd**, **You'd**, **He'd**, **She'd**, etc. A sua forma negativa é **would not** ou **wouldn't** (forma contraída).

Alguns verbos irregulares

Apresentam-se alguns dos verbos irregulares mais conhecidos.

Infinitivo	Pretérito	Particípio Passado	Infinitivo	Pretérito	Particípio Passado
begin	began	begun	get	got	got
bite	bit	bitten	go	went	gone
bring	brought	brought	know	knew	known
catch	caught	caught	leave	left	left
come	came	come	meet	met	met
do	did	done	ring	rang	rung
draw	drew	drawn	say	said	said
drive	drove	driven	sit	sat	sat
eat	ate	eaten	stand	stood	stood
find	found	found	teach	taught	taught

Imperativo Imperative

O **Imperativo** é usado para dar ordens ou para fazer uma oferta ou um convite. A sua forma é a mesma, tanto para o singular como para o plural.

> **Stop smoking!** *
> (Para de fumar!)
>
> **Don't make noise!** **
> (Não faças barulho!)

* Afirmativa: Base do verbo sem "sujeito"

** Negativa: **Don't** + base do verbo sem "sujeito"

O inglês americano

Este guia de conversação contempla fundamentalmente o inglês britânico. No entanto, achámos melhor incluir uma breve informação sobre a versão americana, apresentando algumas diferenças:

Em algumas palavras, cujo -ae ou -oe é pronunciado como i longo, o inglês americano deixa cair o -a ou o -o de acordo com a palavra em questão.

Ex.: anaesthetic (Br.)   anesthetic (Am.)

No caso de sílabas não acentuadas, o inglês americano deixa cair um -l- nas palavras que têm -ll- no inglês britânico.

Ex.: cancelled (Br.)   canceled (Am.)

No caso de sílabas acentuadas que terminam em -l, o inglês americano acrescenta mais um -l.

Ex.: distil (Br.)   distill (Am.)

As palavras que terminam, no inglês britânico, em -our, são escritas, no inglês americano, com -or, se este som for pronunciado como o som **a** da palavra portuguesa **cola**.

Ex.: labour (Br.)   labor (Am.)

A terminação -re do inglês britânico é invertida no inglês americano, ficando a ser -er, se esta for antecedida de uma consoante.

Ex.: millimetre (Br.)   millimeter (Am.)

Tal como acontece com o português de Portugal e com o português do Brasil, também o inglês britânico e o inglês americano usam palavras iguais para exprimirem situações e coisas diferentes, bem como usam palavras diferentes para exprimirem as mesmas situações ou coisas, como acontece,por exemplo, com a palavra abreviada *metro*:

Ex.: underground (Br.)   subway (Am.)

Viagem

Documentos **Documents**

(identificação pessoal, documentação do automóvel)

GUIACIN © Porto Editora

vocabulário

• a passagem	transit	• a carta verde	international motor insurance card
• cartão de embarque	boarding card	• os documentos	documents
• o visto de turista	tourist visa	• a fotografia tipo passe	passport photograph
• o bilhete de identidade/ cartão de cidadão	identity card	• o livrete	carnet
		• o passaporte	passport
• a caderneta de vacinas	vaccination records / booklet	• o título de registo de propriedade	ownership registration document
• a carta de condução	driving licence	• o visto de residência	residence visa

expressões

- Os seus documentos, por favor. → **Your documents, please.**

- Aqui está/estão → **Here's / Here are**
  o meu passaporte /   **my passport /**
  os nossos passaportes /   **our passports /**
  o meu bilhete de identidade /   **my identity card (ID) /**
  a minha autorização de residência.   **my residency permit.**

- Quer ver os documentos do carro? → **Would you like to see the documents for the car?**

Alfândega **Customs**

(instalações e funcionários)

vocabulário

• a alfândega	Customs	• o funcionário aduaneiro	customs officer
• o controlo	customs checks	• a inspeção	inspection
• os direitos alfandegários	customs duties	• o posto fronteiriço	border post
• a fronteira	border	• o recibo	receipt

Identificar-se, apresentar-se, apresentar alguém p. 153

viagem

expressões

▪ Tem alguma coisa a declarar?	→ **Do you have anything to declare?**
▪ Não tenho nada a declarar.	→ **I don't have anything to declare.**
▪ Quer que abra a mala?	→ **Would you like me to open my suitcase?**
▪ Não trago bebidas alcoólicas nem cigarros.	→ **I'm not carrying any alcoholic drinks or cigarettes.**
▪ Tenho uma garrafa de uísque / uma garrafa de vinho / um pacote de cigarros / um frasco de perfume.	→ **I've got a bottle of whisky / a bottle of wine / a packet of cigarettes / a bottle of perfume.**
▪ Tenho um portátil / tablet / consola de jogos	→ **I have a laptop / tablet / games console.**
▪ É para uso pessoal.	→ **It's for personal use.**
▪ Devo pagar por isto?	→ **Do I need to pay for this?**
▪ Quanto?	→ **How much?**
▪ Isto não é novo.	→ **This isn't new.**
▪ Tenho… em moeda estrangeira.	→ **I've got… in foreign currency.**
▪ Penso que não pago direitos por isso.	→ **I don't think that I have any duties to pay.**
▪ Tenho também esta encomenda.	→ **I also have this parcel.**

Formalidades   Formalities

(preenchimento de formulários, declaração de objetos)

expressões

▪ Estou aqui de férias / em negócios.	→ **I'm here on holiday / on business.**
▪ Qual será a duração da estadia?	→ **How long will you be staying?**
▪ Fico aqui alguns dias / uma semana / quinze dias / um mês.	→ **I'm staying a few days / a week / a fortnight / a month.**
▪ Ainda não sei.	→ **I still don't know.**
▪ Estou de passagem.	→ **I'm just passing through.**
▪ Preencha este formulário / este documento de desembarque.	→ **Complete this form / this landing card.**

O tempo cronológico, a data p. 165

- Tem de indicar
  o nome /
  a data de nascimento /
  o local onde nasceu /
  a nacionalidade /
  a profissão /
  a morada /
  a duração da estadia.

  → **You have to write**
  your name /
  date of birth /
  place of birth /
  nationality /
  profession /
  address /
  how long you're staying.

Informações turísticas

Tourist information

expressões

- Como está o clima?
  → **What's the weather like?**

- Queria visitar a região.
  → **I'd like to visit the area.**

- Prefiro um plano calmo / agitado.
  → **I'd prefer a relaxed / busy schedule.**

- Onde posso apanhar…
  … um táxi?
  … o metro?
  … um autocarro?

  → **Where can I catch…**
  … a taxi?
  … the underground?
  … a bus?

- Onde posso alugar um carro?
  → **Where can I hire a car?**

- Queria alugar um carro para todo o dia.
  → **I'd like to hire a car for the whole day.**

- O que há de mais interessante para visitar?
  → **Which are the most interesting places to visit?**

- Há um posto de turismo por aqui?
  → **Is there a tourism office near here?**

- Onde fica o posto de turismo?
  → **Where is the tourism office?**

- Há aqui um guia que fale português / espanhol / inglês / francês?
  → **Is there a guide that speaks Portuguese / Spanish / English / French here?**

- Pode aconselhar-me
  um circuito turístico /
  um bom guia de…?

  → **Could you recommend**
  a tour /
  a good guide (book) to…?

- Qual é o preço do circuito?
  → **How much does the tour cost?**

- A que horas começa o circuito?
  → **What time does the tour start?**

- Não quero companhia, obrigado(a).
  → **I don't need to be accompanied, thank you.**

- Preciso / Não preciso de ajuda.
  → **I need / I don't need any help.**

Transportes

Automóvel **Motor car**

❶ a matrícula
number plate

❷ o para-choques
bumper

❸ o farol
headlight

❹ o pneu
tyre

❺ a jante
hubcap / wheel rim

❻ o para-brisas
windscreen

❼ o limpa-para-brisas
windscreen wiper

❽ o retrovisor
wing mirror

❾ a porta
door

❿ o porta-bagagens / a mala
boot

vocabulário

o exterior **The exterior**

- o "capot" do motor — bonnet
- as escovas do limpa-para-brisas — windscreen wiper blades
- os faróis máximos — main / high beam headlights
- os faróis médios — dimmed / low beam headlights
- os faróis mínimos — parking lights
- os faróis de nevoeiro — fog lights
- o fecho centralizado com comando à distância — central locking system with remote control
- o guarda-lamas — mudguard
- a luz dianteira — headlight

- a luz traseira — rear light
- a luz de marcha-atrás — reversing light(s)
- a luz de travagem ("stop") — brake light
- o para-choques dianteiro / traseiro — front / rear bumper
- o pisca — indicator light
- luzes de aviso — warning lights
- o pneu suplente — spare wheel
- a roda — wheel
- o triângulo — warning triangle
- o tubo de escape — exhaust pipe

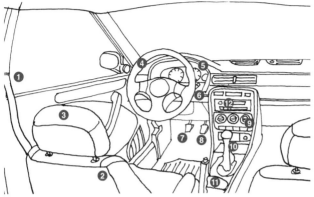

1 o cinto de segurança
seat belt

2 o assento
seat

3 o apoio de cabeça
headrest

4 o volante
steering wheel

5 o painel de instrumentos
dashboard

6 o interruptor dos faróis
headlight switch

7 o pedal da embraiagem
clutch pedal

8 o pedal do travão
brake pedal

9 o ar condicionado
air conditioning

10 a alavanca das velocidades
gearstick

11 o travão de mão
handbrake

12 o autorrádio
car radio

Habitáculo **The interior**

♦ o acelerador	accelerator pedal	♦ a mala de primeiros socorros	first-aid box
♦ o alarme	alarm		
♦ a alavanca	lever	♦ a marcha-atrás	reverse gear
♦ o aquecimento	heater	♦ as mudanças:	gears:
♦ o ar condicionado	air conditioning	a primeira /	first /
		a segunda /	second /
		a terceira…	third…
♦ o assento para criança	child seat	♦ o pedal	pedal
♦ a buzina	horn / hooter	♦ o ponto-morto	neutral
♦ a chave	key	♦ o travão	brake
♦ o conta-quilómetros	mileage recorder / milometer	♦ o velocímetro	speedometer
♦ a embraiagem	clutch	♦ o colete refletor	high-visibility jacket
♦ a ignição	ignition	♦ o triângulo	warning triangle
♦ o indicador de nível (de gasolina)	fuel gauge	♦ o pneu sobresselente	spare tyre

Condução p. 34

vocabulário

A mecânica Mechanics

• a água	water
• a água destilada	distilled water
• o amortecedor	shock absorber
• o anticonge-lante	anti-freeze
• o motor de arranque	starter motor
• a bateria	battery
• a boia	float
• a bomba	fuel pump
• o cabo	cable
• a caixa de velocidades	gearbox
• o "capot" do motor	bonnet
• o carburador	carburettor
• a carroçaria	body of the car
• o catalisador	catalyser
• o *chassis*	chassis
• o cilindro	cylinder
• a correia	fan belt
• o disco da embraiagem	clutch disk
• o depósito	petrol tank
• a direção	steering-gear
• o distribuidor	distributor
• o eixo	axle
• a engrenagem	gear
• o filtro de ar / de óleo	air / the oil filter
• o fio elétrico	electrical wire
• a gasolina	petrol

• o indicador de nível de óleo	oil gauge
• a injeção direta	direct fuel injection
• o veio de cardã	universal joint
• o lubrificante	lubricant
• o macaco	jack
• a mola de suspensão	suspension spring
• o motor	engine
• a mudança de óleo	oil change
• o óleo	oil
• a pressão de ar	air pressure
• o radiador	radiator
• o reservatório de gasolina / do óleo	petrol / oil tank
• o sistema de arrefecimento	cooling system
• o sistema elétrico	electrical system
• a suspensão	suspension
• o termóstato	thermostat
• a transmissão	transmission shaft
• os travões	brakes
• a válvula (do motor)	engine valve
• a válvula (da câmara de ar)	air chamber / flap valve
• a vela de ignição	spark plug
• a ventoinha	fan

Moto **Motorcycle**

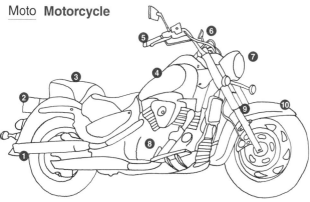

Transportes

1. o tubo de escape
   exhaust pipe
2. a matrícula
   number plate
3. o assento
   seat
4. o depósito de gasolina
   fuel tank
5. o punho acelerador
   twist-grip throttle control
6. o guiador
   handlebars
7. o farol
   headlight
8. o motor
   motor / engine
9. o garfo
   fork
10. o guarda-lamas
    mudguard

• o amortecedor hidráulico	hydraulic shock absorber	• a correia de distribuição	distributor belt
• o apoio de mão do passageiro	passenger hand grip	• o descanso	motorcycle stand
• o apoio do pé do condutor / do passageiro	driver / passenger footrest	• o farol dianteiro / traseiro / de "stop"	headlight / rear light / brake light
• os amortecedores	vibration damper / shock absorbers	• o guarda-lamas dianteiro / traseiro	front / rear mudguard
• o botão de ignição	ignition switch	• o indicador do nível de gasolina	fuel gauge
• a caixa de velocidades	gearbox		
• o carburador	carburettor	• o interruptor dos faróis	headlight switch

♦ a jante	wheel rim	♦ o pedal do travão	brake pedal
♦ a mala	pannier	♦ o pisca	indicator
♦ a *manete* de embraiagem / de travagem à frente	clutch lever / brake lever	♦ os piscas inter-mitentes	hazard flashing lights
♦ a mola de suspensão	suspension spring	♦ a querena	fuselage
♦ o mostrador	display	♦ o radiador	radiator
♦ o painel de instrumentos	instrument panel	♦ o retrovisor	rear view mirror
		♦ a roda	wheel

Camião Lorry / Truck

vocabulário

♦ o acelerador	accelerator	♦ o entreposto	warehouse
♦ o beliche	bunk	♦ o gancho	hook
♦ a buzina	horn	♦ a guia de entrega	delivery note
♦ a cabina	lorry's cabin	♦ a guia de transporte	travelling permit
♦ o camião--cisterna / frigorífico	tanker / cooler	♦ o peso bruto	gross weight
♦ o camionista	lorry driver	♦ o peso líquido	net weight
♦ carregar / descarregar	load / unload	♦ o reboque	trailer
♦ a carga	load	♦ o semirreboque	semi-trailer
♦ o conta--quilómetros	odometer	♦ o tacógrafo	tachograph
♦ o contentor	cargo container	♦ a tara	tare weight
♦ a embraiagem	clutch	♦ o trator	towing vehicle
♦ o encaixe do gancho	hook attachment	♦ o travão	brake
♦ a entrega (de mercadorias)	delivery (of merchandise)	♦ a viagem	trip

Aluguer automóvel **Car rental**

expressões

- Pode indicar-me uma agência de aluguer de automóveis? → **Could you please tell me where I could find a car rental agency?**

- Queria alugar um carro / uma caravana / um jipe / uma mota. → **I'd like to rent a car / a caravan / a jeep / a motorbike.**

- Que categorias de carros tem disponíveis? → **What kind of cars do you have?**

- Quanto custa alugar um carro de uma categoria superior? → **How much does it cost to rent a car in a higher category?**

- Posso entregar o carro noutra cidade / lugar? → **Can I return the car to another town/location?**

- Pretendo um carro com… … gps. … cadeira para bebé. … cadeira para criança. → **I'd like a car with… … GPS … a baby seat … a child seat**

- Por quanto tempo? → **For how long?**

- Para um dia / três dias / uma semana. → **For one day / three days / one week.**

- Qual a tarifa por dia / por semana? → **What's the daily / weekly rate?**

- De quanto é o depósito (caução)? → **How much is the deposit?**

- A quilometragem está incluída? → **Is mileage included?**

- Quanto custa o quilómetro? → **How much is it per kilometre?**

- O preço da gasolina está incluído? → **Is the price of the petrol included?**

- Que tipo de gasolina tenho de meter? → **What type of fuel does it take?**

Pagamento e formas de pagamento p. 122

▪ Devo entregar o carro com o depósito cheio?	→	**Should I return the car with a full tank?**
▪ O carro tem... seguro contra todos os riscos? seguro contra terceiros? seguro para segundo condutor?	→	**Does the car come with... comprehensive insurance / third-party insurance / insurance for an additional driver?**
▪ Quero um seguro contra todos os riscos.	→	**I'd like comprehensive insurance.**
▪ Aqui estão os meus documentos.	→	**Here are my documents.**
▪ Aqui está a minha carta de condução.	→	**Here's my driver's licence.**
▪ Tenho um cartão de crédito.	→	**I've got a credit card.**

Condução **Driving**

`vocabulário`

Estradas **Roads**

♦ a autoestrada	motorway		♦ a portagem	toll station
♦ a estrada local	minor road		♦ o troço sujeito a portagem	toll road
♦ a estrada nacional	main road		♦ o túnel	tunnel
♦ a estrada prioritária	road with right of way		♦ a via estreita	lane
♦ a ponte	bridge		♦ a zona pedonal	pedestrian zone

Sinalização rodoviária **Road signs**

♦ alto	halt		♦ a descida íngreme / perigosa	steep / dangerous descent
♦ aproximação de estrada com prioridade	approaching a T-junction		♦ o desvio	diversion
♦ a autoestrada	motorway		♦ desvio para veículos pesados	diversion for heavy vehicles
♦ o cruzamento	crossroads			
♦ a curva perigosa	dangerous curve		♦ o engarrafamento	traffic jam

◆ guiar com cuidado	drive carefully	◆ a rotunda	roundabout
◆ as obras na estrada / rua	roadworks	◆ saída de camiões	slip road for lorries
◆ a paragem de autocarro	bus stop	◆ seguir pela direita / esquerda	keep to the right / left
◆ a passagem de nível	level crossing	◆ beco sem saída	no through road
◆ passagem proibida	no crossing	◆ o semáforo	traffic lights
◆ os peões	pedestrians	◆ sentido proibido	no entry
◆ o perigo	danger	◆ o sentido único	one-way street
◆ a portagem	toll station	◆ o sinal "stop"	"stop" sign
◆ o posto de socorros	first-aid station	◆ o trânsito proibido / vedado	road closed to traffic
◆ a prioridade	give way	◆ a velocidade máxima	maximum speed
◆ proibido ultrapassar	no overtaking		

expressões

Pedir informações

Asking for directions

- Desculpe, fala português? → **Excuse me, do you speak Portuguese?**

- Pode indicar-me o caminho para... / dizer-me onde fica...? → **Could you show me the way to... / Could you tell me where... is?**

- Esta é a estrada para...? → **Is this the road to...?**

- A que distância fica a localidade mais próxima? → **How far is the nearest village?**

- A que distância estou de...? → **How far am I from...?**

- Onde fica esta morada? → **Where's this address?**

GUIA CLIN © Porto Editora

- Tem um mapa de estradas desta região? → Do you have a road map of this area?

- Pode mostrar-me no mapa onde estou / onde fica…? → Could you show me where I am on the map? / Could you show me where… is on the map?

- A quantos quilómetros fica a próxima estação de serviço? → How far is the service station?

- Onde fica o posto de gasolina mais próximo? → Where's the nearest petrol station?

- Onde é a oficina mais próxima? → Where's the nearest garage?

- Procuro uma oficina. → I'm looking for a garage.

- Pode mandar-me um pronto-socorro / reboque? → Could you send a breakdown vehicle / tow truck?

- Acabou a gasolina. Pode ajudar-me? → I've run out of petrol. Could you help me?

Indicar o caminho

Showing the way

- Enganou-se na estrada. → You've taken a wrong turning.

- Siga
  em frente /
  à direita /
  à esquerda.
  → Go
  straight ahead /
  right /
  left.

- É lá em baixo / ao fundo. → It's down there / at the bottom.

- Vire
  à direita /
  à esquerda /
  depois dos semáforos /
  na esquina.
  → Turn
  right /
  left /
  after the traffic lights /
  at the corner.

- Vá até ao primeiro / segundo cruzamento. → Go until the first / second crossroads.

- É muito longe para ir a pé. → It's too far to walk.

Estacionamento

Parking

- Estacionar. → To park
- Onde posso estacionar? → Where can I park the car?
- Posso estacionar aqui? → Can I park here?
- O parque de estacionamento é gratuito / pago? → Is the car park free / paid?
- Sair de um estacionamento. → To leave a parking area / space.
- Estacionamento proibido. → Parking is forbidden.
- O parcómetro. → Parking meter.

Infrações

Infractions / Offences

- Não tem o cinto apertado. → You haven't got your seatbelt fastened.
- Não respeitou o limite de velocidade. → You didn't keep to the speed limit.
- Passou no vermelho. → You went through the red traffic light.
- Mas… a luz estava verde! → But… the traffic light was green!
- Não vi o semáforo. → I didn't see the the traffic light.
- Pisou a linha contínua. → You went over the white line.
- Ultrapassou pela direita. → You overtook on the right.
- Não respeitou a prioridade / o "stop". → You didn't respect the give way / stop sign.
- Desculpe, não vi o sinal. → I'm sorry, I didn't see the sign.
- Está mal estacionado. → You're badly parked.
- Está parado num estacionamento proibido. → You are in a forbidden parking space.
- Está a conduzir em estado de embriaguez. → You are driving while drunk.
- Quanto é a multa? → How much is the fine?
- Não compreendo. → I don't understand.
- Desculpe, não falo bem inglês. → I'm sorry, I don't speak English well.
- Vai ter de pagar uma multa de… → You're going to have to pay a fine of…

Estação de serviço **Petrol station**

GUIACIN © Porto Editora

1 a oficina
garage

2 a caixa
cashier

3 o empregado da bomba
petrol pump assistant

4 a bomba
petrol pump

5 a mangueira
hose

---

vocabulário

• a água	water	• o GPL	LPG
• a água destilada	distilled water	• a lâmpada	bulb
• a área de descanso	rest area	• a lavagem (automática)	automatic car wash
• a área de serviço	service area	• o líquido anticongelante	cooling fluid / coolant
• o aspirador	vacuum cleaner	• a manutenção	maintenance
• a bateria	the battery	• o óleo	oil
• a caixa de pré--pagamento	prepayment checkout	• pagar	to pay
• o extintor	fire extinguisher	• o pneu	tyre
• a fatura	the invoice	• o pré--pagamento	prepayment
• a gasolina / sem chumbo	petrol / unleaded petrol	• o preço	price
• o gasóleo	diesel	• as velas	spark plugs

T
r
a
n
s
p
o
r
t
e
s

expressões

- Onde fica a estação de serviço mais próxima? → Where is the closest petrol station?

- Queria... litros de gasolina, por favor. → I'd like... litres of petrol, please.

- Quero... euros/libras de gasolina sem chumbo / de gasóleo. → Fill it with... euros/pounds' worth unleaded petrol / diesel.

- Ateste, por favor. → Fill it up, please.

- Pode verificar a pressão dos pneus / a roda sobresselente / o nível do óleo / o nível da água? → Could you check the tyre pressure / the spare wheel / the oil level / the water level?

- Pode remendar este furo / mudar o pneu / limpar o para-brisas? → Could you mend this puncture / change the tyre / clean the windscreen?

- Quero água destilada / óleo. → I'd like a bottle of distilled water / oil.

- Encha o radiador, por favor. → Fill up the radiator, please.

- O carro não arranca. → The car isn't starting.

- Posso chamar um reboque, por favor? → Can I call a tow truck / lorry?

- Há uma oficina de reparações aqui ou nos arredores? → Is there a garage nearby or in the surrounding area?

- Pode mandar rebocar este carro para uma garagem? → Could you ask for this car to be towed to a garage?

- O meu carro precisa de ser lavado. → My car needs to be washed.

GUIACIN © Porto Editora

Oficina **The garage**

GUIACIN © Porto Editora

vocabulário

♦ o amortecedor	shock absorber	♦ a lâmpada	bulb
♦ arrancar	kick-start	♦ o fusível	fuse
♦ a avaria	the breakdown	♦ mudar a bateria	to change the battery
♦ avariado	broken down		
♦ a bateria	the battery	♦ mudar o óleo	to change the oil
♦ o custo de desempanagem / de reboque	the repair costs / the towage fees	♦ a peça defeituosa / de substituição	faulty / replacement part
♦ a correia	fan belt	♦ o pneu suplente	spare tyre
♦ a embraiagem	clutch	♦ rebocar	to tow
♦ o filtro de óleo / ar / combustível	oil filter / air filter / fuel filter	♦ o tubo de escape	exhaust pipe
		♦ a vela	spark plug

expressões

- Onde fica a oficina mais próxima? → **Where's the closest garage?**
- O meu carro está avariado na rua / estrada… → **My car has broken down on the road….**
- O motor
  está a bater /
  não arranca /
  aquece demasiado. → **The engine is shaking / won't start / heats up too much.**
- As mudanças funcionam mal. → **The gears are functioning badly.**
- O radiador
  aquece /
  tem uma fuga. → **The radiator is heating up / has a leak.**
- Podem enviar-me um pronto-socorro? → **Could you send a breakdown vehicle?**

- Verifique o óleo / a água / o líquido dos travões, por favor. → **Please check the oil / the water / the brake fluid.**

- Quero… litro(s) de óleo, p.f. → **I'd like … litres of oil, please.**

- Pode deitar água destilada na bateria? → **Could you put distilled water in the battery?**

- A bateria está descarregada. Pode recarregá-la? → **My battery is flat. Could you recharge it?**

- Pode verificar o motor e fazer a lubrificação? → **Could you check the engine and lubricate it?**

- É necessário afinar os travões. → **The brakes need to be adjusted.**

- Ajuste o carburador. → **Adjust the carburettor.**

- Encha o radiador. → **Fill up the radiator.**

- Queria fazer a mudança de óleo. → **I'd like to have the oil changed.**

- A avaria é grave? → **Is the breakdown serious?**

- Tem peças sobresselentes? → **Have you got spare parts?**

- Pode substituir o… / a…? → **Can you replace the…?**

- Quanto tempo leva a reparação? → **How long will the repairs take?**

- A que horas está pronto? → **When will it be ready?**

- Preciso do carro amanhã de manhã. → **I need the car for tomorrow morning.**

Alguns termos americanos Some American terms

a gasolina	gasoline (gas)	o pedal acelerador	gas pedal
a capota do motor	hood	a alavanca das mudanças	gearshift
a mala	trunk	o carburador	carburetor
o pisca	turn signal	o depósito de gasolina	gas tank
a matrícula	license plate	o silenciador	muffler
a luz traseira	taillight	a vela de ignição	spark plug
o pneu	tire	o veio de transmissão	drive shaft
o para-brisas	windshield		
o retrovisor	side mirror		

Algarismos e números p. 173 ▪ *Pagamento e formas de pagamento* p. 122 41

Acidentes **Accidents**

GUIACIN © Porto Editora

vocabulário

◆ o acidente de viação	road accident	◆ o INEM	ambulance service
◆ a ambulância	ambulance	◆ a mala de primeiros socorros	first aid box
◆ a carta verde do seguro	insurance green card	◆ o seguro	insurance
◆ a declaração amigável	accident statement	◆ o telefone SOS	S.O.S. telephone
◆ o choque	crash	◆ a testemunha	the witness(es)
◆ o ferido / os feridos	wounded person / wounded people	◆ o triângulo de pré-sinalização	warning triangle

expressões

- Posso telefonar? → **May I telephone?**

- Chame
  um médico depressa /
  uma ambulância /
  os bombeiros /
  a polícia!
  → **Call
  a doctor quickly! /
  an ambulance! /
  the Fire Brigade! /
  the Police!**

- Há feridos! → **There are wounded people!**

- Não é grave. → **It isn't serious.**

- O carro tem seguro contra todos os riscos / terceiros. → **The car's got comprehensive insurance / third party insurance.**

- Os seus documentos, por favor. → **Where are your documents?**

- Aqui estão os meus documentos. → **Here are my documents.**

- Aceita ser minha testemunha? → **Will you be my witness?**

- Qual é o seu
  endereço /
  n.º de telefone?
  → **What's your
  address /
  telephone number?**

A declaração amigável	Accident statement
a data	date
a hora	time
o local	place
os danos materiais visíveis	visible material damage
as testemunhas	witnesses
o apelido	surname
o nome	first name
a morada	address
o segurado	policy holder
o veículo (categoria B)	vehicle
a marca	make
o tipo de carro	model of the car
o número de matrícula	registration number
o número da apólice	policy number
a apólice	insurance policy
a carta de condução	driver's licence
válida de... a...	valid from... to...
a averiguação em curso	ongoing investigation
o esboço do acidente	sketch of the accident
o condutor	driver
o relatório policial	police report

GUIACIN © Porto Editora

Transportes

Estação ferroviária The railway station

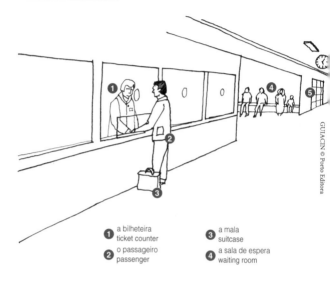

1 a bilheteira
ticket counter

2 o passageiro
passenger

3 a mala
suitcase

4 a sala de espera
waiting room

vocabulário

◆ o atraso	delay	◆ o depósito de bagagem	loading of luggage
◆ a bagagem	luggage	◆ a entrada	entrance
◆ o bilhete	ticket	◆ a recolha de pacotes e bagagens	luggage claim
◆ o vagão restaurante	buffet car		
◆ caducado	expired	◆ a estação	station
◆ o chefe de estação	station-master	◆ os horários	timetable
		◆ as informações	information
◆ a chegada	arrival	◆ a ligação	connection
◆ a expedição de volumes e bagagens	transportation of goods and luggage	◆ a revisão dos bilhetes	ticket checks

Transportes

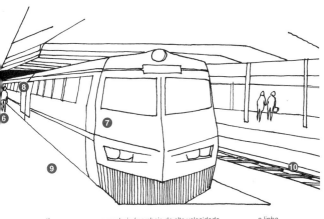

5 os cacifos
lockers

6 o bagageiro
porter

7 o comboio / comboio de alta velocidade
train / high-speed train

8 a carruagem
carriage

9 a linha
railway platform

10 a via (-férrea)
(railway) track

♦ a partida	departure	♦ a sala de espera	waiting room
♦ a passagem subterrânea para peões	underpass for pedestrians	♦ a contabilidade	accounting office
♦ o percurso	route	♦ a segurança	security staff
♦ o posto de informações	information desk	♦ o suplemento	additional train
		♦ o túnel	tunnel
♦ o painel de partidas e chegadas	departures and arrivals board	♦ o bilhete válido / caducado	valid / expired ticket
♦ a reserva	reservation / booking	♦ validar	to validate
♦ a saída	exit	♦ viajar	to travel

GUIACIN © Porto Editora

expressões

Informações	Information
▪ Onde fica a estação ferroviária?	→ Where is the railway station?
▪ Táxi, siga para a estação ferroviária, por favor.	→ Taxi! Please take me to the railway station.
▪ Procuro a bilheteira.	→ I am looking for the ticket counter.
▪ Onde é a secção de perdidos e achados?	→ Where is the lost and found office?
▪ Onde é o posto da polícia por favor?	→ Where is the railway station police desk, please?
▪ Há algum posto de informações turísticas na estação?	→ Is there a tourism information desk in the station?
▪ Onde fica o depósito da bagagem / a bilheteira / a linha 5 / a sala de espera / o quiosque (de jornais)?	→ Where is the left luggage / ticket office / platform five / waiting room / newspaper stand?
▪ Queria um horário dos comboios, por favor.	→ I'd like a timetable, please.
▪ Onde posso arranjar um horário dos comboios?	→ Where can I get a timetable?
▪ Este comboio é rápido?	→ Is it a through train?
▪ Onde tenho de mudar?	→ Where do I have to change?
▪ A que horas há ligação para...?	→ What time is there a connection to...?
▪ O comboio para também na estação de...?	→ Does the train also stop at ... station?
▪ É preciso fazer reserva?	→ Do I need to make a reservation?
▪ A que horas parte o (próximo) comboio para...?	→ What time does the train to... leave?
▪ Há um comboio às...?	→ Is there a train at...?
▪ De que linha parte o comboio para...?	→ Which platform does the (next) train to... leave from?
▪ O vosso comboio parte da linha 5.	→ Your train leaves from platform 5.
▪ É este o comboio para...?	→ Is this the train to...?
▪ A que horas chegamos a...?	→ What time do we arrive at...?
▪ A que cais chega o comboio de...?	→ On which platform does the train from... arrive?

- É um comboio direto? → **Is it a through train?**
- Não, tem de mudar em... → **No, you have got to change at...**
- Mude em... e apanhe o comboio para... → **Change at... and catch the train to...**
- O comboio tem vagão-restaurante? / carruagem-cama? → **Does the train have a dining car? / a sleeping car?**
- O comboio tem Internet sem fios / Wi-Fi? → **Does the train have wireless internet / Wi-Fi?**
- Qual a password do Wi-Fi? → **What is the Wi-Fi password?**
- O comboio tem um atraso de... minutos. → **The train is delayed by... minutes.**

Compra de bilhetes

Buying ticket

- Quanto custa um bilhete para...? → **How much is a ticket to...?**
- Dois bilhetes de primeira / segunda classe para..., por favor! → **Two first-class / second-class tickets to...**
- Há um preço especial para a terceira idade? → **Is there a senior citizen's discount?**
- Um bilhete só de ida. → **A single ticket.**
- Um bilhete de ida e volta. → **A return ticket (RU) / round-trip ticket (EUA).**
- Há compartimentos para fumadores / não fumadores? → **Is there a (non-) smoking compartment?**

Bagagens

Luggage

- Esta é a minha bagagem. → **This is my luggage.**
- Pode levar-me a bagagem para a carruagem, por favor? → **Please could you carry my luggage on board?**
- Quanto lhe devo? → **How much do I owe you?**
- Não encontro a minha bagagem. → **I can't find my luggage.**
- Estas não são as minhas malas. → **These aren't my suitcases.**
- Esqueci-me da mala no comboio. → **I've left my suitcase on the train.**
- Pode ajudar-me? → **Could you help me, please?**
- Ponha as malas aqui, por favor. → **Leave the suitcases here, please.**
- Posso despachar esta mala? → **Can I have these suitcases sent on?**

Algarismos e números p. 173 ▪ *Pagamento e formas de pagamento* p. 122

Comboio **The train**

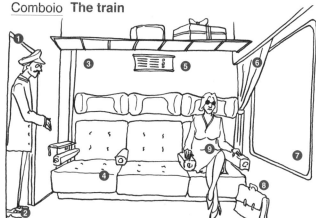

GUIACN © Porto Editora

❶ a porta
door

❷ o revisor
ticket inspector

❸ o compartimento
compartment

❹ o lugar
seat

❺ o ar condicionado
air conditioning unit

❻ a cortina
curtain

❼ a janela
window

❽ a mala
suitcase

❾ o passageiro
passenger

---

vocabulário

◆ a bagagem	luggage
◆ a cama	bed
◆ o caminho de ferro	railway (RU) / railroad (EUA)
◆ a linha	rail
◆ o carro de bagagem	luggage trolley
◆ a carruagem	carriage
◆ a carruagem--cama	sleeping car
◆ a carruagem--restaurante	dining car
◆ a primeira / segunda classe	first class / second class

◆ o comboio rápido / direto / regional / de mercadorias / Intercidades / expresso / alta velocidade	fast / through / regional / goods / intercity / express / high-speed train
◆ o corredor	gangway
◆ a locomotiva	locomotive
◆ o lugar reservado	reserved seat
◆ o porta--automóveis	car transporter
◆ o saco de viagem	travelling bag

T
r
a
n
s
p
o
r
t
e
s

Sinalização **Signs**

posto de informações
information desk

bilheteira
ticket counter

reserva dos lugares
seat reservations

comboio com carruagem-
-cama e porta-automóveis
train with sleeping car and
car transporter

aluguer de automóveis
na estação
car rental at the station

sala de espera
waiting room

restaurante
restaurant

depósito das bagagens
left luggage

carro de bagagem
luggage trolley

cacifos
lockers

registo das bagagens
luggage counter

entrega das bagagens
registadas
baggage reclaim

GUIACIN © Porto Editora

A localização p. 169   **49**

fumadores
smoking

não fumadores
non-smoking

entrada
entrance

saída
exit

água potável
drinking water

água não potável
non-drinking water

sanitários para senhoras
women's toilets / ladies

sanitários para homens
men's toilets / gents

telefone
telephone

expressões

No comboio

- Compartimentos 1 e 2,
  por favor?

- O(s) seu(s) bilhete(s),
  por favor.

- Aqui está o meu bilhete.

- Este bilhete não é válido.

- Reservámos… lugares.

On the train

→ Compartments 1 and 2, please.

→ Tickets, please!

→ Here's my ticket.

→ This ticket isn't valid.

→ We've booked… seats.

▪ Este lugar está livre?	→ **Is this seat free?**
▪ Este lugar está ocupado?	→ **Is this seat taken?**
▪ Creio que este é o meu lugar.	→ **I believe this seat is mine.**
▪ Tenho o número…	→ **I've got number…**
▪ Posso abrir a janela?	→ **May I open the window?**
▪ O aquecimento avariou-se.	→ **The central heating is out of order.**
▪ O ar condicionado não funciona.	→ **The air conditioning doesn't work.**
▪ Não se importa de fechar a janela, por favor?	→ **Would you mind closing the window, please?**
▪ Vendem sanduíches e bebidas nesta carruagem?	→ **Are sandwiches and drinks sold in this carriage?**
▪ Há carruagem-restaurante / Onde fica?	→ **Is there a dining car? Where is it?**
▪ Com licença, posso passar?	→ **Can I get past, please?**
▪ Pode avisar-me quando chegarmos a…?	→ **Could you let me know when we get to…?**
▪ Que estação é esta / Onde estamos?	→ **What station is this? / Where are we?**
▪ Quanto tempo para aqui o comboio?	→ **How long does the train wait here?**
▪ Há compartimentos vazios no vagão-cama?	→ **Are there any empty compartments in the sleeping car?**
▪ Onde fica o vagão-cama?	→ **Where's the sleeping car?**
▪ Qual é a minha cama?	→ **Which is my bed?**
▪ Pode preparar as nossas camas, por favor?	→ **Could you prepare our beds, please?**
▪ Pode acordar-me às 7 horas?	→ **Could you wake me up at 7 o'clock?**

GUIACIN © Porto Editora

Refeições p. 81

Aeroporto Airport

GUIA.IN © Porto Editora

1. o terminal aéreo
   air terminal
2. o avião
   plane
3. os balcões da companhia aérea
   airline information desks
4. a torre de controlo
   control tower
5. a bagagem
   luggage
6. o carrinho das bagagens
   luggage trolley
7. o check-in
   check-in
8. o painel de partidas e chegadas
   departures and arrivals board

vocabulário

◆ a alfândega	Customs	◆ despachar / enviar / levantar a bagagem	dispatch / send / pick up the luggage
◆ o alfandegário	Customs officer		
◆ o atraso	delay	◆ o detetor de metais	metal detector
◆ o bagageiro	porter	◆ o despacho das bagagens	luggage dispatch
◆ a chegada	arrival	◆ os documentos	documents
◆ a classe executiva / turística	business / tourist class	◆ a escala	stopover
		◆ o excesso de bagagem	excess luggage
◆ a companhia de aviação / a linha aérea	aviation company / airline	◆ fumadores	smoking
		◆ não fumadores	non-smoking

T **ransportes**

♦ a mala de mão	hand luggage	♦ a torre de controlo	control tower
♦ a mala de senhora	handbag	♦ os produtos para bebés	baby products
♦ as malas	suitcases	♦ o saco para líquidos	bag for products containing liquids
♦ a partida	departure		
♦ o passaporte	passport	♦ o check-in online / mobile	online / mobile check-in
♦ a saída	exit		

expressões

▪ Há algum autocarro para o aeroporto?	←	Is there a bus to the airport?
▪ Tenho de ir para o aeroporto.	←	I have to go to the airport.
▪ Onde fica o terminal?	←	Where's the terminal?
▪ Onde é o balcão da companhia…?	←	Where is the airline information desk?
▪ Já fiz o check-in online.	←	I've already checked in online.
▪ Porque é que o aeroporto está encerrado?	←	Why is the airport closed?
▪ Onde são as partidas internacionais?	←	Where are international departures?
▪ Onde é o check-in para o voo…?	←	Where is the check-in for flight… ?
▪ Qual é a porta de embarque para o voo…?	←	Which is the boarding gate for flight…?
▪ Quero comprar um bilhete para…	←	I'd like to buy a ticket to…
▪ Quanto custa o bilhete de ida e volta para…?	←	How much is a return ticket (RU) / round-trip ticket (EUA) to…?
▪ Quando sai o próximo avião para…?	←	When does the next plane for… leave?
▪ Quero um bilhete de ida.	←	I'd like a one-way ticket.
▪ Quero um bilhete de ida e volta com data de volta em aberto.	←	I'd like a return ticket (RU) / round-trip ticket (EUA) with an unfixed return date.
▪ Tem algum voo para hoje / amanhã?	←	Do you have a flight today / tomorrow?

Compra de bilhetes p. 47 ▪ *Pagamento e formas de pagamento* p. 122 53

- Queria um bilhete em classe... → I'd like a...
  - ...turística.   ... tourist class
  - ...executiva.   ... business class ticket.

- A quantos quilos de bagagem → How many kilos of luggage am I
  tenho direito?   entitled to?

- Onde é o depósito de bagagens? → Where is the left luggage facility?

- A que horas parte / chega → What time does the plane leave /
  o avião?   arrive?

- Qual é o atraso da partida? → How delayed is the departure?

- É possível alterar a data do voo? → Is it possible to change the date of
  the flight?

- Desejo um lugar... → I'd like a...
  - ...à janela.   ... window seat.
  - ...na coxia.   ... aisle seat.

- Pretendo ajuda com... → I'd like help with...
  - ...uma cadeira de rodas.   ... a wheelchair.
  - ...um carrinho de bebé.   ... a pushchair.

- Pretendo ajuda com o meu → I'd like help with my guide dog.
  cão-guia.

- Posso levar este objeto / líquido → Can I carry this object / liquid in my
  na bagagem de mão?   hand luggage?

- É preciso tirar o computador / → Do I need to take my computer /
  tablet da mala de mão?   tablet out of my hand luggage?

- A minha mala não apareceu / → My luggage has not shown up /
  está extraviada.   been lost.

- A minha mala está danificada. → My luggage is damaged.

- Onde posso apanhar um táxi? → Where can I catch a taxi?

Avião **The aeroplane**

1 a coxia / o corredor
aisle

2 a hospedeira de bordo
flight attendant

3 a casa de banho
toilet

4 o passageiro
passenger

5 a janela
window

6 o assento
seat

vocabulário

♦ o aileron	aileron	♦ o copiloto	co-pilot
♦ a altitude	altitude	♦ desapertar o cinto de segurança	to unfasten one's seatbelt
♦ apertar o cinto de segurança	to fasten one's seatbelt	♦ a descolagem	take-off
♦ a asa	wing	♦ o enjoo	motion sickness
♦ o assistente de bordo	flight attendant	♦ a hélice	propeller
♦ a aterragem	landing	♦ a máscara de oxigénio	oxygen mask
♦ a aterragem de emergência	emergency landing	♦ o colete salvavidas	life-jacket
♦ a cabine	cabin		
♦ o cockpit	cockpit	♦ o paraquedas	parachute
♦ o cinto de segurança	seat-belt	♦ o piloto	pilot

GUIACIN © Porto Editora

Aeroporto p. 52

GUIA.IN © Porto Editora

• a pista	runway	• o reator	reactor
• a pista de aterragem	landing strip	• o porão	cargo hold
• a pista de descolagem	runway	• o trem de aterragem	landing gear
		• o voo	flight

expressões

■ Qual é o número do voo?	→	**What is the number of the flight?**
■ Qual é o número da porta de embarque?	→	**What is the boarding gate number?**
■ A que horas me devo apresentar para o *check-in*?	→	**What time should I be here to check in?**
■ Onde fica a porta de embarque número…?	→	**Where is boarding gate number…?**
■ O avião está prestes a descolar / aterrar.	→	**The plane's about to take off / to land.**
■ Quanto tempo demora o voo para…?	→	**How long does the flight to… take?**
■ Poderia trocar de lugar comigo, por favor?	→	**Could I swap seats with you, please?**
■ Servem alguma refeição ou bebida a bordo?	→	**Do they serve any food or drink on board?**
■ Apertem o cinto, por favor.	→	**Fasten your seatbelt, please.**
■ A que altitude estamos a voar?	→	**What altitude are we flying at?**
■ Posso desapertar o cinto?	→	**Can I unfasten my seatbelt?**
■ Este voo tem internet sem fios / wi-fi?	→	**Does this flight have wireless internet / Wi-Fi?**
■ Pode arranjar-me uma almofada / copo de água / manta?	→	**Please could you get me a pillow / cup of water / blanket?**
■ Hospedeira, acorde-me quando estivermos a chegar!	→	**Please wake me up when we're about to land.**
■ Qual é o entretenimento a bordo?	→	**What on-board entertainment is there?**
■ Não consigo reclinar o assento.	→	**I can't get my seat to recline.**
■ Queria uma refeição… …vegetariana. …sem glúten. …de carne / peixe.	→	**I'd like a… … vegetarian … gluten-free … meat / fish meal.**

Tempo atmosférico p. 157 ■ *Refeições* p. 81

Porto marítimo **The harbour**

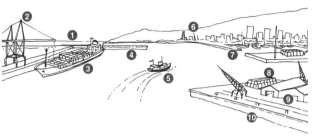

1	o mar the sea	**5**	o rebocador tug	**8**	a gare marítima shipping station
2	o guindaste crane	**6**	o farol lighthouse	**9**	os armazéns warehouses
3	o cargueiro cargo ship	**7**	a marina marina	**10**	o cais dock
4	o molhe pier				

vocabulário

♦ atracar	to dock	♦ a ilha	island
♦ a atracação	dock	♦ o lago	lake
♦ o atracadouro / o cais / o molhe	wharf / dock / pier	♦ a maré	tide
		♦ a margem	riverbank
♦ o cais de embarque / desembarque	port of embarkation / port of disembar- kation	♦ navegar	sail
		♦ o porto	harbour
♦ o canal	channel	♦ o rio	river
♦ a costa	seashore	♦ a travessia	crossing
♦ o desembarque	disembarkation	♦ a viagem	trip
♦ o embarque	embarkation	♦ zarpar	to sail away / to weigh anchor

Embarcações **Ships**

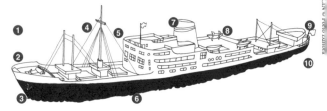

① o navio
ship

② a proa
the prow

③ a âncora
anchor

④ o mastro
mast

⑤ a ponte de comando
the bridge

⑥ o casco
hull

⑦ a chaminé
funnel

⑧ o barco salva-vidas
lifeboat

⑨ a bandeira
flag

⑩ a popa
stern

⑪ o paquete de cruzeiros
cruise liner

⑫ o cargueiro
cargo ship

⑬ o *ferry boat*
ferry boat

⑭ o veleiro
sailing boat

⑮ o bote
dinghy

vocabulário

♦ a amurada	ship's rail	♦ a boia	buoy
♦ o balanço	rolling	♦ bombordo	on the port side
♦ a barcaça	barge	♦ a cabina	cabin
♦ o barco a motor / à vela / a remos	motorboat / sailing boat / rowing boat	♦ a camareira	stewardess
		♦ o camareiro	steward

• o camarote	cabin		• estibordo	starboard
• o camarote sobre o tombadilho	deck cabin		• o iate	yacht
			• o leme	helm
• o capitão	captain		• o marinheiro	sailor
• a classe	class		• o navio	ship
• a classe turística	tourist class		• o oficial	officer
			• a onda	wave
• o comandante	the commander		• o passageiro	passenger
• o convés	the deck		• o petroleiro	oil tanker
• o colete salva-vidas	life jacket		• o porão	the hold
			• o piloto	pilot
• o convés superior	the upper deck		• a receção	reception
			• o tombadilho	promenade (quarter) deck
• o cruzeiro	cruise		• o vapor	steam
• o enjoo	sea-sickness		• a vela	sail

expressões

▪ Pode dizer-me onde se vendem as passagens da companhia de navegação para...?	→	**Could you tell me where I can buy shipping company tickets to...?**
▪ Preciso de embarcar para...	→	**I need to travel to...**
▪ Qual é o primeiro navio que parte para...?	→	**Which is the first ship leaving to...?**
▪ De que molhe sai o navio?	→	**From which pier does the ship depart?**
▪ A que horas parte o *ferry-boat* para...?	→	**What time does the ferry boat leave for...?**
▪ Ainda há lugares livres no navio para...?	→	**Are there still seats available on the ship to...?**
▪ Duas passagens de adulto e duas de criança, por favor.	→	**Tickets for two adults and two children, please.**
▪ Podemos levar animais?	→	**May we take animals?**
▪ Os animais também pagam passagem?	→	**Do animals also require a ticket?**

▪ Pode pôr-me na lista de espera?	→	**Could you put me on the waiting list?**
▪ Quero um camarote de... camas no navio de... para...	→	**I'd like a cabin with... beds on the ship from... to...**
▪ Desejo um lugar para automóvel no navio.	→	**I'd like a place on the ship for my car.**
▪ Quanto tempo antes da partida tenho de apresentar-me para embarque?	→	**How long before the departure do I have to be here?**
▪ Quanto tempo demora a travessia para...?	→	**How long does the crossing to... take?**
▪ Há serviço de restaurante a bordo?	→	**Are there meals served on board?**
▪ Onde fica o meu camarote / o convés / o restaurante?	→	**Where can I find my cabin / the deck / the restaurant?**

Transportes públicos **Public transport**

vocabulário

◆ o atraso	delay		◆ o horário	timetable
◆ o autocarro	bus		◆ a linha	line / course
◆ o bilhete	ticket		◆ o metropolitano	underground (RU) / tube (RU) / subway (EUA)
◆ a bilheteira automática	ticket machine			
◆ o comboio regional	regional train		◆ o motorista	driver
			◆ a paragem	stop
◆ o elétrico	tram		◆ o passageiro	passenger
◆ o engarrafamento	traffic jam		◆ o passe	pass
			◆ sair	to leave
◆ entrar	to enter		◆ a tarifa	the fare
◆ a estação	station		◆ a tarifa reduzida	(reduced) fare
◆ o fim da linha / o terminal	terminus / terminal		◆ o táxi	taxi
			◆ validar	to validate

Transportes

Chamar um táxi

- Tenho de chamar um táxi.
- Onde posso encontrar um táxi?
- Chame-me um táxi, por favor.
- Qual é o preço do percurso para...?
- Pode levar-me a bagagem?
- Tenho de pagar um extra?
- Leve-me
  a esta morada /
  ao hotel... / ao centro da cidade /
  ao aeroporto, por favor.
- Estou com pressa.
- Pode ir mais depressa / devagar?
- Pare aqui, por favor.
- Quanto devo?

To call a taxi

- → I need to call a taxi.
- → Where can I find a taxi?
- → Call me a taxi, please.
- → How much does it cost to...?
- → Could you take my luggage?
- → Do I need to pay anything extra?
- → Take me
  to this address /
  to the hotel... / to the city centre /
  to the airport, please.
- → I'm in a hurry.
- → Could you go faster / slower?
- → Stop here, please.
- → How much is it?

Indicação do destino ou do trajeto

- Onde fica o balcão de informações, por favor?
- Queria um mapa do metro / da cidade, por favor.
- Procuro a estação de metro / paragem do autocarro / paragem do elétrico.
- Tenho de ir para a rua...
- O autocarro número... para perto de...?
- Quantas paragens são até...?
- Qual é o autocarro que passa pela praça...?
- É preciso mudar de autocarro?
- Onde devo sair?

Finding your destination or route

- → Where's the information desk, please?
- → I'd like a map of the underground (RU) / subway (EUA) / city.
- → I'm looking for the underground (RU) / subway (EUA) station / bus stop / tram stop.
- → I have to go to... Street.
- → Does bus number... stop near...?
- → How many bus stops are there until...?
- → Which bus goes past... Square?
- → Do I need to catch another bus?
- → Where should I get off?

A localização p. 169

- Pode avisar-me quando tenho de sair? → Could you warn me when I have to get off?
- Quero sair na próxima paragem. → I'd like to get off at the next stop, please.

As tarifas, os bilhetes e os horários

Fares, tickets and timetables

- Quanto custa o bilhete
  do autocarro /
  do elétrico /
  do metro?
  → How much does
  the bus /
  the tram (RU) / trolley (EUA) /
  the tube (RU) / subway (EUA)
  ticket cost?

- Dê-me dois bilhetes para…, por favor. → I'd like two tickets to…, please.

- O bilhete é válido para todo o dia? → Is the ticket valid for the whole day?

- O bilhete é válido para todas as linhas? → Is the ticket valid for every route?

- Podem adquirir-se bilhetes simples ou ainda um passe mensal. → You can purchase single tickets or a monthly pass.

- Onde poderei comprar os bilhetes? → Where can I buy tickets?

- Estão à venda
  nas bilheteiras e máquinas em todas as estações de metro /
  nos estabelecimentos autorizados.
  → They're on sale
  at ticket offices and machines in every tube / subway station /
  from authorised kiosks.

- Queria um passe mensal, por favor. → I'd like a monthly pass, please.

- Quanto custa o passe? → How much does a pass cost?

- Onde posso tirar uma fotografia? → Where can I have a photograph taken?

- Quando parte o autocarro / elétrico / metro para…? → When does the bus /
  the tram / trolley / the tube /
  subway to… leave?

- O autocarro / elétrico / metro acaba de partir. → The bus / the tram / trolley / the tube / subway has just gone by.

- Quando passará o próximo? → When does the next one arrive?

- Tem de validar o bilhete na máquina obliteradora. → You have to validate your ticket in the validating machine.

GUIA.LIN © Porto Editora

Alojamento

Hotel / Pensão / Hostel / Pousada de Juventude
Hotel / Guest House / Hostel / Youth Hostel

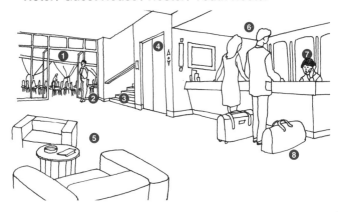

1 a sala de jantar
dining room

2 o(a) empregado(a) de mesa
waiter / waitress

3 as escadas
stairs

4 o elevador
lift (RU) / elevator (EUA)

5 o *hall*
the lobby

6 a receção
reception

7 a(o) rececionista
receptionist

8 as bagagens
luggage

---

vocabulário

Alojamento **Accommodation**

• os hotéis	hotels	• o hostel	hostel
• o hotel de 3 estrelas / 5 estrelas	three-star / five-star hotel	• o diretor / o gerente	the director / the manager
• o motel	motel	• a empregada de quarto	chambermaid
• a pensão	guest house	• o empregado de hotel	hotel clerk
• a estalagem	inn		
• a pousada de juventude	youth hostel	• o paquete	bellboy
		• o porteiro	porter

A

Alojamento

Quarto **The room**

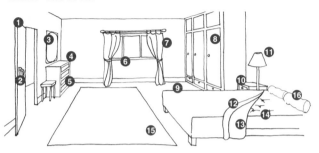

1	a porta door	**5**	a gaveta drawer	**9**	a cama bed	**13**	o lençol sheet
2	a chave key	**6**	a janela window	**10**	a mesa de cabeceira bedside table	**14**	o colchão mattress
3	o espelho mirror	**7**	a cortina curtain	**11**	o candeeiro lamp	**15**	o tapete carpet
4	a cómoda chest of drawers	**8**	o guarda-fatos wardrobe	**12**	o cobertor blanket	**16**	as almofadas pillows

♦ a rececionista — receptionist

♦ as refeições: — the meals:
  o pequeno-almoço / — breakfast /
  o almoço / — lunch /
  o jantar — dinner

♦ quarto duplo — double room

♦ quarto individual — single room

♦ quarto com cama de casal — room with a double bed

♦ quarto com cama extra — room with an extra bed

♦ quarto com casa de banho / chuveiro — room with an en suite bathroom / shower

♦ o cabide — coat hanger

♦ a cadeira — chair

♦ o estore / a persiana — roller blind / shutter

♦ a fronha — pillowcase

♦ a varanda — balcony

expressões

Pedir informações

- Pode recomendar-me um hotel?
- Onde fica…?
- Onde fica o hotel…?
- O hotel tem parque de estacionamento privativo?
- Está sempre aberto?
- Há alguma praça de táxis ou paragem de autocarro aqui perto?
- A estação de caminhos de ferro é longe do hotel?

Asking for information

- Could you recommend me a hotel?
- Where is…?
- Where is the… hotel?
- Does the hotel have a private car park?
- Is it always open?
- Is there a taxi rank or a bus stop nearby?
- Is the railway station far from the hotel?

Reserva, receção

- Chamo-me… Têm uma reserva em meu nome?
- Fiz uma reserva online / por email / por telefone.
- O n.º / código da reserva é…
- Sim, senhor! Tenho uma reserva para si.
- Escrevi-lhe o mês passado.
- Aqui está a confirmação.
- Não fiz reserva.
- Até quando posso cancelar a reserva?
- Têm quartos livres?
- Queria um quarto duplo com quarto de banho para esta noite.
- Tenho de pagar agora?
- Tem serviço de transporte de hóspedes de e para o aeroporto?
- Porque pedem os dados do cartão de crédito?

Booking, reception

- I'm… Have you got a booking in my name?
- I booked online / by email / by telephone.
- The reservation number / code is…
- Yes, I have a reservation in your name.
- I sent you a message last month.
- Here's the confirmation.
- I haven't booked.
- Is there a cut-off point for cancelling the reservation?
- Have you got any free rooms?
- I'd like a double room with an en suite bathroom for tonight.
- Do I have to pay now?
- Do you offer a complimentary shuttle service to and from the airport?
- Why do you need my credit card details?

Alojamento

- Quero dois quartos simples
  com comunicação interior.
  → I'd like two interconnecting single
  rooms.

- Quanto tempo vai ficar?
  → How long are you staying?

- Pretendo ficar
  só uma noite /
  alguns dias /
  pelo menos uma semana.
  → I intend to stay
  only one night /
  a few days /
  at least a week.

- Qual é o preço
  por pessoa /
  por noite /
  por semana /
  por dormida e pequeno-almoço /
  por dormida sem refeições /
  com pensão completa /
  com meia pensão?
  → What is the price
  per person /
  per night /
  per week /
  for bed and breakfast /
  for bed without meals /
  for full board /
  for half board?

- O preço inclui
  o pequeno-almoço /
  pensão completa /
  o serviço /
  IVA?
  → Does the price include...
  breakfast /
  full board /
  service /
  VAT?

- É demasiado caro.
  → It's too expensive.

- Não há nada mais barato?
  → Isn't there anything cheaper?

- Fazem reduções para crianças?
  → Do you make any reductions for children?

- O preço inclui o bebé?
  → Is there an extra charge for the baby?

- Posso ver o seu passaporte?
  → May I see your passport?

- Queira preencher esta ficha,
  por favor.
  → Would you please complete this form?

- Assine aqui, por favor.
  → Sign here, please.

- Posso ver os quartos?
  → Could I see the rooms?

- Não, não gosto deste quarto.
  → No, I don't like this one.

- É muito
  frio /
  quente /
  escuro /
  pequeno /
  barulhento.
  → It's too
  cold /
  hot /
  dark /
  small /
  noisy.

- Tem alguma coisa
  melhor /
  maior /
  mais tranquila /
  com melhor vista?
  → Have you got anything
  better /
  larger /
  quieter /
  with a better view?

Pagamento p. 71

Alojamento

GUIA.CLN © Porto Editora

• Queria um quarto na frente / nas traseiras / com vista para o mar / para o jardim / para o pátio num piso alto / baixo num piso para fumadores / não fumadores.	I'd like a room facing the front / facing the back / with a view to the sea / with a view over the garden / with a view of the patio on a high floor / low floor / smoking floor / non-smoking floor.
• Está bem. Fico com ele.	That's fine. I'll have this one.
• O quarto é partilhado?	Is the room shared?
• A casa de banho é partilhada?	Is the bathroom shared?
• Qual é o tipo de tomada do hotel?	What kind of power sockets are used in this hotel?

As bagagens

The luggage

• As malas estão no carro.	The suitcases are in the car.
• Têm paquete?	Is there a bellboy?
• O empregado vai levá-las daqui a cinco minutos.	The porter will take them in five minutes.
• Qual é o número do quarto?	What's the room number?
• Em que andar fica?	Which floor is it on?
• Pode dar-me a chave do quarto número… por favor?	Could you please give me the key to room number…?

Serviços

Services

• Têm serviço de despertar?	Do you offer a wake-up service?
• Desejo ser acordado às… em ponto.	I'd like to be woken up at… on the dot.
• A que horas são as refeições?	At what time are meals served?
• Têm serviço de quartos?	Do you provide room service?
• Podem servir as refeições no quarto?	Could you bring food to the room?
• Podem trazer dois almoços?	Could you bring two lunches?
• Por favor, chame a empregada de limpeza.	Please call the chambermaid.
• Qual é o número de telefone do hotel?	What's the hotel's telephone number?

68 *Indicar momentos e lugares* p. 165 ▪ *Refeições* p. 81

- Poderia imprimir-me este documento? → **Please could you print this document for me?**
- Preciso de consultar a lista telefónica da cidade. → **I need to consult the city's telephone directory.**
- Espero algumas chamadas telefónicas. Estou no *hall*. → **I'm expecting a few calls; I'm in the lobby.**
- Alguém telefonou? → **Did anybody phone?**
- O hotel tem serviço de lavandaria? → **Do you have a laundry service?**
- Queria mandar lavar / limpar a seco / passar a ferro algumas peças de roupa. → **I'd like to send some clothing to the laundry / dry cleaner's / to be ironed.**
- O hotel tem *court* de ténis? → **Does the hotel have a tennis court?**
- A que horas está o *court* livre? → **At what time is the tennis court free?**
- É preciso fazer reserva? → **Do we have to book?**
- Gostava de jogar uma partida amanhã de manhã. → **I'd like to have a tennis match tomorrow morning.**
- O hotel também tem piscina? → **Does the hotel also have a swimming pool?**
- O hotel tem estacionamento privativo? → **Does the hotel have private parking?**
- O hotel tem wi-fi gratuito? → **Does the hotel have free Wi-Fi?**
- Qual é a password do wi-fi? → **What is the Wi-Fi password?**
- Pode usar-se essa password para mais do que um dispositivo? → **Can you use this password for more than one device?**
- O hotel tem SPA? → **Does the hotel have a spa?**
- Que tratamentos existem no SPA? → **What treatments are offered in the spa?**
- Os tratamentos estão incluídos no preço por noite? → **Are the treatments included in the price of a night's stay?**
- O hotel tem cabeleireiro / manicure? → **Does the hotel have a hairdresser / manicurist?**
- Queria reservar… → **I'd like to book…**
  …uma massagem. → **… a massage**
  …cabeleireiro. → **… a hairdresser.**
- O hotel tem serviço de *babysitting*? → **Does the hotel offer a babysitting service?**

No quarto

In the room

- Quem é? → **Who is it?**
- Um momento. → **Just a moment.**
- Entre! → **Come in!**

GUIA LINS © Porto Editora

GUIACN © Porto Editora

- O quarto tem
  aquecimento /
  ar condicionado /
  rádio /
  televisão /
  casa de banho?

→ Is there
  central heating /
  air conditioning /
  radio /
  television /
  an en suite bathroom?

- Onde está a tomada para a máquina de barbear?

→ Where is the socket for the shaver?

- Qual é a voltagem?

→ What voltage is used here?

- Pode dar-me
  mais um cobertor /
  mais um travesseiro /
  uma almofada /
  um toalhão de banho /
  um sabonete /
  cubos de gelo /
  um candeeiro /
  uma extensão elétrica?

→ Could you give me
  another blanket /
  another bolster /
  a pillow /
  a bath towel /
  soap /
  ice cubes /
  a bedside lamp /
  an electric extension cable?

Casa de banho

The bathroom

- a banheira → bath
- o copo → glass
- o duche → shower
- a escova dos dentes → toothbrush
- o lavatório → washbasin
- o papel higiénico → toilet paper
- a pasta dos dentes → toothpaste
- o sabonete → soap
- a sanita → toilet
- a toalha de mãos → handtowel
- a toalha de banho → bath towel

Avarias e reclamações

Faults and complaints

- O ar condicionado /
  o aquecimento /
  a luz /
  o rádio /
  a televisão /
  o telefone /
  o interruptor /
  a tomada /
  a ventoinha /
  a persiana /
  a torneira
  não funciona.

→ The air conditioning /
  the central heating /
  the light /
  the radio /
  the television /
  the telephone /
  the switch /
  the socket /
  the fan /
  the shutters /
  the tap
  isn't working.

- O lavatório está entupido. → **The washbasin is blocked / clogged.**
- Não há água → **There isn't any**
  quente / fria / corrente. **hot / cold / running water.**
- A lâmpada fundiu-se. → **The light bulb's blown.**
- A porta não fecha / não abre. → **The door won't close / open.**
- Deixei a chave no quarto. → **I've left the key in the room.**
- O autoclismo está avariado. → **The toilet won't flush.**

Pagamento ## Payment

- Pode preparar-me a conta para → **Could you have my bill ready for**
  amanhã de manhã? **tomorrow morning?**
- Amanhã saio muito cedo. → **I'm going to leave very early tomorrow.**
- Partimos por volta do meio-dia. → **We're leaving around midday.**
- Queria pagar a conta esta noite. → **I'd like to pay the bill tonight.**
- Até que horas é permitido → **What is the latest time for checking**
  o *check-out*? **out?**
- Tenho de partir imediatamente. → **I have to leave immediately.**
- Tenho muita pressa. → **I'm in a real hurry.**
- Como posso pagar? → **How can I pay?**
- Aceitam cartões de crédito? → **Do you accept credit cards?**
- Está tudo incluído? → **Is everything included?**
- Enganou-se! → **You've made a mistake!**
- Trago já a conta certa. → **I'll bring you the right bill**
  in a minute.
- Têm algum lugar para guardar as → **Do you have somewhere to store**
  malas depois de fazer o *check-out*? **suitcases after check-out?**
- Pode devolver-me o passaporte / → **Could you give me my passport /**
  o bilhete de identidade? **my identity card (ID) back?**
- Pode mandar descer a nossa → **Could you have our luggage brought**
  bagagem? **down?**
- Pode chamar-nos um táxi, → **Could you call us a taxi?**
  por favor?
- Tivemos uma ótima estadia. → **We've had a wonderful stay.**
- Esperamos voltar. → **We hope to come back.**

Parque de campismo **Campsite**

GUIACIN © Porto Editora

1 o(a) campista camper	**5** a rede hammock	**9** o saco-cama sleeping bag
2 a caravana caravan	**6** a árvore tree	**10** a mesa folding table
3 o automóvel car	**7** a tenda tent	**11** a cadeira folding chair
4 o bangalô bungalow	**8** o camping-gás calor gas cylinder / container	

vocabulário

♦ acampar	to go camping	♦ as cordas	guy rope
♦ a bússola	compass	♦ a lanterna	torch
♦ o canivete	penknife / pocket-knife	♦ a mochila	rucksack
♦ o cantil	flask	♦ o passeio a pé	a walk / a stroll
♦ o colchão de ar	air mattress	♦ o toldo	awning

expressões

Onde fica...?

- Onde fica o parque de campismo desta cidade / mais perto daqui?

- A que distância fica a praia mais próxima?

- Podemos ir a pé?

- Há alguma pousada de juventude aqui perto?

- Conhece alguém que nos possa albergar por uma noite?

Where is...?

→ Where can I find this city's campsite / the closest campsite to here?

→ How far is the nearest beach?

→ Can we walk there?

→ Is there a youth hostel near here?

→ Do you know anybody who could put us up for one night?

Reserva, receção e pagamento

- Reservei um espaço neste parque há dois meses.

- Confirme, por favor.

- Podemos acampar aqui?

- Não. É proibido acampar aqui.

- Onde se poderá acampar por esta noite?

- Podemos acampar no seu terreno / deixar a nossa caravana aqui / acender uma fogueira?

Booking, reception and payment

→ I booked a spot in this campsite two months ago.

→ Please confirm it.

→ May we pitch our tents here?

→ No. Camping is forbidden here.

→ Where can we set up (pitch) our tent tonight?

→ May we camp on your ground / leave our caravan here / light a fire?

GUIALIN © Porto Editora

- Pode-nos arranjar água? → **Could you provide us with some water?**

- Qual é o preço diário
  por pessoa /
  por um carro /
  por uma tenda /
  por uma autocaravana?
→ **How much is it per day /
  per person /
  for a car /
  for a tent /
  for a motorhome?**

Instalações e serviços

Facilities and services

- Há água potável aqui? → **Is there drinking water?**

- Qual é a corrente eléctrica? → **What is the electric current?**

- Podem-se fazer compras no parque? → **Can we buy things here in the park?**

- Há
  banhos /
  chuveiros /
  sanitários /
  um café /
  um restaurante?
→ **Are there any
  baths /
  showers /
  toilets?
  Is there a café /
  a restaurant?**

- Que modalidades desportivas podemos praticar aqui? → **What sports can be played here?**

- Onde posso alugar uma bicicleta? → **Where can I hire a bicycle?**

- Onde posso comprar
  postais /
  um mapa da região?
→ **Where can I buy
  postcards /
  a map of the area?**

Avarias e reclamações

Faults and complaints

- Não há água quente nos chuveiros. → **There isn't any hot water in the showers.**

- Não se vê nada. Não há iluminação. → **We can't see anything; there isn't any lighting.**

- Fizeram muito barulho esta noite! → **It was very noisy last night!**

- Entrou água / lama na minha tenda. → **Water / mud has gone (penetrated) into my tent.**

Casa / Apartamento privado
House / private apartment

Divisões Rooms

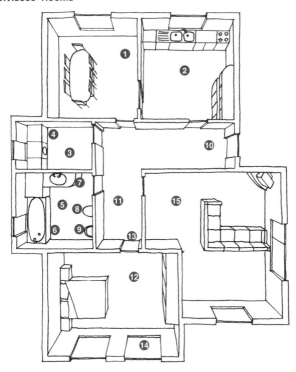

1. a sala de jantar
   dining room
2. a cozinha
   kitchen
3. a lavandaria
   laundry
4. a máquina de lavar a roupa
   washing machine (RU) / washer (EUA)
5. a casa de banho
   bathroom

6. a banheira
   bath
7. o lavatório
   washbasin
8. o bidé
   bidet
9. a sanita
   toilet
10. a entrada
    entrance

11. o corredor
    hallway
12. o quarto
    bedroom
13. a porta
    door
14. a janela
    window
15. a sala de estar
    living room / lounge

Sala de estar Living room / lounge

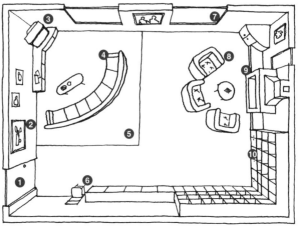

GUIACIN © Porto Editora

❶	a porta door	❹	o sofá sofa	❼	a janela window	❾	a lareira fireplace
❷	o quadro picture	❺	o tapete carpet / rug	❽	a poltrona armchair	❿	as estantes bookshelf / bookcase
❸	o televisor television	❻	a cadeira chair				

vocabulário

♦ o aquecimento	heating	♦ a garagem	garage
♦ o ar condicio- nado	air conditioning	♦ o interruptor	switch
		♦ a louça	dishes
♦ a campainha	doorbell	♦ a parede	wall
♦ o candeeiro	lamp	♦ o pavimento	floor
♦ a chave	key	♦ o sofá-cama	sofa-bed
♦ o contador de eletricidade	electricity meter	♦ o sótão	attic
		♦ o teto	ceiling
♦ o degrau	steps	♦ o telhado	roof
♦ o duche	shower	♦ o terraço	terrace
♦ o elevador	elevator / lift	♦ a tomada de corrente	socket
♦ a escada	staircase		
♦ a fechadura	lock	♦ a varanda	balcony

Cozinha Kitchen

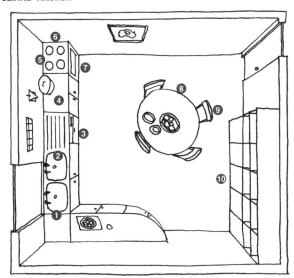

1 a banca / a pia
washbasin / sink

2 a torneira
tap

3 a máquina de lavar a louça
dishwasher

4 o tacho
pot / pan

5 o fogão
cooker

6 o disco / o bico de gás
hotplate / gas ring

7 o forno
oven

8 a mesa
table

9 a cadeira
chair

10 o armário
cupboard

vocabulário

♦ o arranha-céus	skyscraper
♦ o contrato de arrendamento	lease contract
♦ o inquilino	tenant
♦ a renda	rent
♦ o senhorio	landlord

♦ o imóvel	property
♦ o apartamento	apartment
♦ o chalé	chalet
♦ o palácio	palace
♦ a moradia	house
♦ a quinta	farm

GUIACIN © Porto Editora

expressões

Compra / arrendamento	Buying / renting
• Queria arrendar uma casa / um quarto para o mês de agosto.	I'd like to rent a house / a room for the month of August.
• Aonde / a quem devo dirigir-me?	Where should I ask / whom should I contact?
• É fácil arrendar / comprar casa nesta região?	Is it easy to rent / buy houses in this region (around here)?
• Conhece alguém que arrende / venda uma casa?	Do you know anybody who will rent / sell a house?
• Quero arrendar uma casa / um apartamento por um período de… …uma semana. …um mês. …um ano.	I'd like to rent a house / an apartment for… … one week. … one month. … one year.
• Qual é o máximo de pessoas permitido?	What is the maximum number of residents allowed?
• Aceitam animais domésticos?	Are pets allowed?
• Quando posso assinar o contrato?	When can I sign the contract?
• É preciso fazer algum depósito de caução?	It a deposit required to secure the property?
• Onde posso levantar / entregar as chaves?	Where can I pick up / deliver the keys?
• O valor inclui… …limpeza? …roupa de casa? …contas de eletricidade / água?	Does the charge include… … cleaning? … household linen? … electricity / water?
• A casa tem… …equipamento de cozinha? …microondas? …TV por cabo? …internet sem fios?	Does the house have… … cooking equipment? … a microwave? … cable TV? … wireless internet?
• Os transportes públicos ficam longe / perto?	Are public transport connections far away / nearby?
• Há algum mercado / supermercado perto?	Is there a market / supermarket nearby?

Pagamentos e formas de pagamento p. 122

Restauração

Restaurante **Restaurant**

GUIACIN © Porto Editora

`vocabulário`

Tipos de restaurantes Types of restaurants

- o bar — bar
- o café — café
- o café--restaurante — restaurant-café
- a cervejaria — pub
- a churrascaria — steakhouse
- a tasca — inn
- a pastelaria — cake shop
- a *pizzaria* — pizzeria
- o restaurante — restaurant

- o *self-service* — self-service restaurant
- o restaurante de especialidades africanas / alemãs / brasileiras / chinesas / indianas / italianas / japonesas / portuguesas / vegetarianas — restaurant with African / German / Brazilian / Chinese / Indian / Italian / Japanese / Portuguese / vegetarian specialities

Sala de jantar e serviço de mesa Dining and table service

1. o empregado de mesa — waiter
2. a empregada de mesa — waitress
3. a mesa — table
4. a cadeira — chair

5. a colher — spoon
6. o garfo — fork
7. o prato — plate
8. a faca — knife
9. o guardanapo — napkin / serviette
10. o copo — glass
11. o sal — salt
12. a pimenta — pepper
13. o cinzeiro — ashtray
14. a vela — candle

Restauração

O serviço de mesa Service in a restaurant

♦ a colher da sopa / do café	soup spoon / coffee spoon	♦ a faca de manteiga / de pão / de queijo	butter knife / bread knife / cheese knife
♦ o cálice	glass	♦ o garfo de carne / de peixe	meat fork / fish fork
♦ o copo da água / do vinho	water / wine glass	♦ a taça de champanhe	champagne glass
		♦ o talher	cutlery
♦ a faca da carne / do peixe	meat knife / fish knife	♦ a travessa	platter

Refeições Meals

vocabulário

O pequeno-almoço / o lanche Breakfast / snacks

♦ a bolacha	biscuits	♦ a limonada	lemonade
♦ o café / o café com leite	coffee / white coffee	♦ a manteiga	butter
♦ o chá	tea	♦ a marmelada	marmalade
♦ o chocolate	chocolate	♦ os ovos mexidos / estrelados / quentes	scrambled / fried / boiled eggs
♦ o chocolate quente	hot chocolate		
♦ a compota	jam / fruit preserve	♦ o pão com chocolate	pain au chocolat
♦ o croissant	croissant		
♦ a fatia de pão	slice of bread	♦ o pão (pãozinho) com queijo	cheese roll
♦ a fruta	fruit		
♦ os flocos	cornflakes	♦ o pudim	pudding
♦ a geleia	jelly	♦ o queijo	cheese
♦ sumo de laranja	orange juice	♦ o sumo de ananás / de maçã	pineapple / apple juice
♦ o leite achocolatado	chocolate milk		
♦ o leite magro de soja	skimmed milk / soya milk	♦ a torrada / o pão torrado	toast

O almoço / o jantar Lunch and dinner

• os aperitivos / as entradas	hors d'oeuvres / starters / appetisers	• o prato principal	main course / dish
		• o queijo	cheese
• o café	coffee	• a salada	salad
• a ementa	menu	• a sobremesa	dessert
• a lista dos vinhos	wine list	• a sopa	soup

Pedir Ordering

• Pode trazer-me...?	Could you bring me...?	• o prato principal	main course / dish
• a água	water	• o sal	salt
• o azeite	olive oil	• o vinagre	vinegar
• o cacete	loaf of bread	• o vinho	wine
• os cubos de gelo	ice cubes		
• a garrafa	bottle		

ter fome / sede	to be hungry / thirsty
comer	to eat
beber	to drink
a dieta	diet
fresco(a)	fresh
quente	hot
frio	cold
cru	raw
tenro	tender
picante	spicy
a conta	the bill
pagar	to pay
a gorjeta	tip
o chefe de mesa	head waiter
o(a) cozinheiro(a)	chef

• o jarro de água	water jug
• o ketchup	ketchup
• a lista	the menu
• a maionese	mayonnaise
• a manteiga	butter
• o molho	sauce
• a mostarda	mustard
• o óleo vegetal	oil
• o ovo	egg
• a palhinha	straw
• o palito	toothpick
• o pão	bread
• a pimenta	pepper

Pedidos, reclamações e pagamento p. 91

Restauração

A ementa

The menu

*Nos quadros das páginas seguintes, os termos em inglês estão ordenados alfabetica-
mente para facilitar a pesquisa e a sua correspondência numa ementa de restaurante.*

As saladas	Salads
salada de alface	green salad
salada mista	mixed salad
a salada	
de alface /	lettuce salad
de tomate	tomato salad

As entradas	Starters
queijo	cheese
carnes frias	cold meat
fiambre	ham
acepipes	hors d'œuvre
paté	pâté
fatias de melão com presunto	slices of honeydew melon with smoked ham
salpicão	smoked pork sausage
caracóis	snails
a sopa	
de feijão /	bean soup
de alho francês /	leek soup
de camarão /	shrimp soup
de legumes	vegetable soup

Os peixes	Fish
chicharro	blue jack mackerel
bacalhau	cod
linguado	flounder
frito	fried
grelhado	grilled
cherne	grouper
pescada	hake
carapau	horse mackerel
cavala	mackerel
polvo	octopus

GUIALIN © Porto Editora

Exprimir agrado / desagrado (reclamar) p. 161 83

GUIACIN © Porto Editora

cozinhado no forno	roasted
sardinhas	sardines
salteado	sautéed
robalo	sea bass
pargo	sea bream
fumado	smoked
lula	squid
cozido a vapor	steamed
espadarte	swordfish
truta	trout
atum	tuna

Os mariscos — **Shellfish**

sapateira	brown crab
amêijoa	clam
caranguejo	crab
lagostim	crayfish
lavagante	lobster
lagosta	lobster
mexilhão	mussel
ostras	oysters
camarão	shrimp
santola	spider crab

As carnes — **Meat**

gratinado	au gratin
cozido (em água)	boiled (in water)
cozinhado	cooked
costeletas	cutlets / chops
frito	fried
grelhado	grilled
rim	kidney
empadão de carne	large meat pie
perna de carneiro / cabrito / borrego	leg of mutton / kid / lamb

Chamar ou interpelar alguém p. 152

R
estauração

fígado	liver
lombo	
de porco /	pork loin /
de boi (vaca)	sirloin (steak)
lombo de vitela	veal tenderloin
carne	meat:
de boi (vaca) /	beef /
de vitela /	veal /
de borrego /	lamb /
de cabrito /	kid /
de porco	pork
no ponto	medium
porco	pork
leitão	suckling pig
coelho	rabbit
mal passado(a)	rare
entrecosto	rib
assado	roasted
espetada	roasted on skewers
salsicha	sausage
bife com batatas fritas	steak with french fries
estufado(a) / guisado(a)	stewed
recheado / com recheio	stuffed / with filling
língua	tongue
bem passado(a)	well done

As aves — **Poultry**

frango	chicken
galinha	chicken
pato	duck
moelas	gizzards
perdiz	partridge
faisão	pheasant
peru	turkey

GUACIN © Porto Editora

GUIACIN © Porto Editora

A guarnição	Side dishes and garnishes
alcachofra	artichoke
espargos	asparagus
brócolos	broccoli
couve-de-bruxelas	brussels sprouts
repolho	cabbage
cenoura	carrot
couve-flor	cauliflower
pepino	cucumber
batatas fritas	french fries
ovos estrelados	fried eggs
alho	garlic
pimento verde / vermelho	green / red pepper
feijões verdes	green beans
alface	lettuce
puré	mashed potato
cogumelos	mushrooms
cebola	onion
salsa	parsley
massa	pasta
ervilhas	peas
batata	potato
couve roxa	red cabbage
arroz	rice
esparguete	spaghetti
espinafre	spinach
couve galega	spring cabbage
nabo	turnip
legumes	vegetables
feijões brancos	white beans

As especiarias	Spices
canela	cinnamon
coentro	coriander (RU) / cilantro (EUA)
noz-moscada	nutmeg
salsa	parsley
pimenta	pepper
rosmaninho	rosemary
tomilho	thyme

As bebidas	Drinks
cerveja preta	ale
aperitivo	aperitif
digestivo	digestive
cerveja branca	lager
licor	liqueur
o vinho da região	locally produced wine
cerveja sem álcool	non-alcoholic beer
o vinho de qualidade produzido em região demarcada	quality wine produced in a demarcated region
água mineral com gás	sparkling mineral water
água mineral sem gás	still mineral water
o vinho de mesa	table wine
o vinho branco /	white wine
tinto /	red wine
rosé /	rosé wine
seco	dry wine
o vinho de região demarcada	wine from a demarcated region
carta de vinhos	wine list

Restauração

A fruta	Fruit
maçã	apple
damasco	apricot
banana	banana
amora	blackberry
cerejas	cherries
tâmara	date
figo	fig
uvas	grapes
melão	melon
laranja	orange
pêssego	peach
pera	pear
ananás	pineapple
framboesa	raspberry
morango	strawberry
melancia	watermelon

Sobremesas	Dessert
pudim de caramelo	caramel pudding
mousse de chocolate	chocolate mousse
pera cozida em vinho tinto com açúcar e canela	cooked pears in red wine with sugar and cinnamon
leite-creme	custard
salada de frutas	fruit salad
gelado	ice cream
maçãs assadas	roasted apples
sorvete	sherbet
arroz-doce	sweet rice
compota de maçã	stewed apples
iogurte	yoghurt

Restauração

As especialidades gastronómicas | Gastronomic specialities

salsichas grelhadas com puré de batata e molho de cebola.	bangers and mash
feijões estufados sobre uma torrada barrada com molho de tomate. Pode incluir ovo, queijo ralado, atum, etc.	beans on toast
legumes variados cozidos, enformados com puré de batata e fritos.	bubble and squeak
couve-flor gratinada com molho de queijo.	cauliflower cheese
pastel em meia-lua com recheio de carne e legumes.	Cornish pasty
Filetes de peixe fritos, servidos com batatas fritas aos palitos, puré de ervilhas, sal e vinagre de malte. Tradicionalmente servido na rua em pacotes de papel.	fish and chips
bucho de carneiro recheado com as vísceras. Servido com nabos e batatas.	haggis (neeps and tatties) (Escócia)
enguias cozidas num caldo que ao arrefecer forma uma camada gelatinosa. Come-se frio.	jellied eels
caçarola de carne e legumes coberta de batatas às rodelas.	Lancashire hotpot
empada de carne picada servida com puré de batata e molho de carne.	pie and mash
ovos cozidos envolvidos em carne de salsicha e pão ralado e fritos.	Scotch eggs
empadão de puré de batata recheado com estufado de carne picada e legumes.	shepherd's pie (cottage pie)
empada de carne de vaca e rim.	steak and kidney pie
carne assada servida com *Yorshire pudding*, puré de batata e legumes.	Sunday roast
carne assada (rosbife) em crosta de massa folhada.	Wellington beef
fatias de pão torrado com molho de queijo derretido. Servido quente, por vezes com ovo estrelado ou escalfado.	welsh rarebit
espécie de pão, em formato pequeno, que se ensopa no molho da carne.	Yokshire pudding

Pedidos, reclamações e pagamento p. 91 **89**

Doces típicos	**Typical desserts**
doce feito com camadas de pão com manteiga, compota ou bagas frescas, aquecido e servido num molho de natas	bread and butter pudding
pequeno bolo feito com ovos e banha e muitos frutos secos e especiarias. Serve-se flamejado com brandy	Christmas pudding
frutos cozidos, cobertos com uma massa areada. Serve-se quente com gelado ou natas	crumble
leite-creme (ou creme pasteleiro)	custard
torta com recheio de compota	jam roly-poly
empadinha de compota de fruta e especiarias	mince pie
papa de flocos de aveia servida com leite frio ou natas e compotas	porridge (Escócia)
pequenos bolos ou pães, para comer quentes com compota ou manteiga	scones
bolo com passas servido com creme de leite	spotted dick pudding
doce de pão com recheio de frutos vermelhos	summer pudding
creme doce feito de leite coalhado com vinho, cidra ou outro ácido	syllabub
tarte de massa quebrada com recheio de melaço com forte sabor a limão. Servida fria ou quente com gelado ou creme	treacle tart
doce em camadas de pão embebido em xerez, leite-creme e fruta, coberto com chantilly	trifle

Restauração

expressões

Onde fica…?

- Pode indicar-me um restaurante?
- Onde se pode comer bem e barato?
- Quero lavar as mãos.
- Onde fica a casa de banho das senhoras / dos homens?
- Siga
  em frente /
  à direita /
  à esquerda.
- É lá em baixo /
  ao fundo.

Where is…?

- Could you recommend me a restaurant?
- Where can we eat well and cheaply?
- I'd like to wash my hands.
- Where's the ladies / men's bathroom?
- Go
  straight ahead /
  to the right /
  to the left.
- It's downstairs / right at the back (bottom).

Pedidos, reclamações e pagamento

- Boa noite! Queria uma mesa para três pessoas, por favor.
- Queria uma mesa
  perto da janela /
  na esplanada /
  no canto.
- Faz favor! (para o empregado)
- Pode ajudar-me?
- Pode arranjar-me a ementa, por favor?
- A ementa é fixa?
- Há
  prato do dia /
  pratos típicos /
  pratos para crianças
  prato vegetariano /
  vegan / sem glúten?
- Sou alérgico a…
- Que é isto?
- Que me aconselha?
- Quais são os pratos típicos?
- Qual é a especialidade da casa / região?

Ordering, complaining and paying

- Good evening. I'd like a table for three people, please.
- I'd like a table
  near the window /
  outside /
  in the corner.
- Excuse me!
- Could you help me?
- Could you get me the menu, please?
- Is there a set price menu?
- Do you have…
  … a dish of the day /
  … local dishes /
  … children's meals /
  … a vegetarian /
  … vegan / gluten-free option?
- I'm allergic to…
- What's this?
- What do you recommend?
- What are the local dishes?
- What is the house / regional speciality?

Uma dose chega para duas pessoas?	→	Is one serving enough for two people?
Que tipos de marisco têm?	→	What kind of shellfish do you have?
Queria ver a carta de vinhos.	→	I'd like the wine list.
Servem vinho a copo?	→	Do you serve wine by the glass?
Queria a bebida com / sem gelo.	→	I'd like my drink with / without ice.
Queria um aperitivo, por favor.	→	I'd like an aperitif, please.
Queria uma garrafa de…	→	I'd like a bottle of…
Queria provar… por favor.	→	I'd like to sample… please.
Queria outra garrafa…	→	I'd like another bottle, please.
Como prefere a carne?	→	How would you like the meat?
Bem passada / Mal passada	→	Well done / rare.
Poderia trazer mais pão / água / vinho?	→	Could you bring more bread / water / wine?
Quero um café / expresso / descafeinado	→	I'd like a coffee / an espresso / a decaf
Deseja mais alguma coisa / um pouco de…?	→	Would you like a little more of…?
Mais nada, muito obrigado!	→	That's all, thank you.
Pode trazer-nos um prato / uma colher / um guardanapo / um copo / um cinzeiro, por favor?	→	Could you bring us a plate / a spoon / a napkin / a glass / an ashtray, please?
Queria uma sobremesa.	→	I'd like some dessert.
Que sobremesas têm?	→	What do you have for dessert?
Não é o que encomendei. Eu pedi…	→	That's not what I ordered. I asked for…
Pode trocar isto?	→	Could you change this?
Está um pouco salgado / amargo. muito doce.	→	It's a little salty / bitter. too sweet.
A comida está fria.	→	The food is cold.
Isto já não é fresco.	→	This isn't fresh.
A carne está passada de mais / mal passada / crua / muito dura.	→	The meat's too well done / too rare / raw / very tough.
Esqueceu-se de nos trazer as bebidas!	→	You've forgotten to bring us our drinks!

▪ Isto não está limpo!	→	This isn't clean!
▪ Porque demora tanto?	→	Why is it taking so long?
▪ Tenho pressa.	→	I'm in a hurry.
▪ Pode chamar o chefe de mesa / gerente, por favor?	→	Could you call the managing waiter, please?
▪ A conta, por favor!	→	The bill, please.
▪ Queria pagar.	→	I'd like to pay.
▪ Queríamos pagar separadamente.	→	We'd like to pay separately.
▪ Enganou-se na conta.	→	You've made a mistake on the bill.
▪ A que corresponde esta importância?	→	What does this amount correspond to?
▪ O serviço está incluído?	→	Is service included?
▪ Está tudo incluído?	→	Is everything included?
▪ Posso pagar com cartão?	→	Can I pay by credit card?
▪ Obrigado(a), isto é para si.	→	Thanks, this is for you.
▪ Guarde o troco!	→	Keep the change.
▪ A refeição estava ótima!	→	The meal was fantastic.
▪ Foi um jantar delicioso!	→	It was a delicious dinner.

Café-bar Coffee bar

❶	a caixa registadora cash register	❹	a caneca beer glass / mug	❼	a mesa table
❷	o empregado the waiter / bartender	❺	o banco stool	❽	o copo glass
❸	o balcão the counter	❻	a cadeira chair	❾	a garrafa bottle

❿	a chávena cup	⓫	o pires saucer
		⓬	a colher spoon

◆ os amendoins	peanuts	◆ o gelado	ice cream
◆ a barra de chocolate	chocolate bar	◆ a rosquilha	filled pastry
		◆ os salgadinhos	little snacks
◆ a pastilha elástica	chewing gum	◆ a sanduíche	sandwich
◆ o cubo de gelo	ice cube	◆ a taça	bowl

Bebidas de cafetaria Café drinks

◆ a água mineral sem gás / com gás	sparkling / still mineral water	◆ o descafeinado	decaffeinated coffee
		◆ sumo de laranja	orange juice
◆ o batido	milkshake	◆ a limonada	lemonade
◆ o café com leite	white coffee	◆ o sumo de laranja / limão / maçã / pera / ananás / pêssego / uva	orange / lemon / apple / pear / pineapple / peach / grape juice
◆ a cerveja sem álcool	non-alcoholic beer		
◆ a cerveja preta	ale		
◆ o chá	tea		

Bebidas espirituosas Spirits

◆ a aguardente	brandy	◆ o ponche	punch
◆ o aperitivo	aperitif	◆ o rum	rum
◆ o champanhe	Champagne	◆ a sidra	cider
◆ o *cocktail*	cocktail	◆ o vermute	vermouth
◆ o conhaque	Cognac	◆ a vodca	vodka
◆ o gin	gin	◆ o uísque	whisky
◆ o licor	liqueur		

Saúde

Farmácia **Pharmacy / Chemist***

* Drugstore (EUA)

GUIA.IN © Porto Editora

vocabulário

• a água oxigenada	hydrogen peroxide
• o álcool	alcohol
• o algodão	cotton
• a ampola	phial
• o analgésico	painkiller
• o antibiótico	antibiotic
• o anti-histamínico	antihistamine
• a aspirina	aspirin
• a balança	scale
• a caixa de 1.os socorros	first aid box
• o calmante	sedative
• a cápsula	capsule
• o comprimido	tablet
• a cotonete	swab
• a drageia	lozenge
• a embalagem	box / package
• o(a) farmacêutico(a)	pharmacist
• a gaze	gauze
• as gotas	droplets
• o inalador	inhaler

• o medicamento genérico	generic medication
• a injeção	injection
• a insulina	insulin
• o lenço de papel	tissue
• a ligadura	bandage
• a ligadura elástica	elastic bandage
• o medicamento	medicine
• o mercurocromo	tincture
• o penso rápido	plaster
• o pó	powder
• a pomada	ointment
• o preservativo	condom
• a receita	prescription
• o repelente	repellant
• a seringa	syringe
• o sonífero	sleeping pill
• o soro fisiológico	saline solution
• o supositório	suppository
• o termómetro	thermometer
• a tintura de iodo	tincture of iodine
• o xarope	syrup

expressões

Onde fica?

Where is...?

- Onde fica a farmácia mais próxima / a farmácia de serviço mais próxima?
  → Where is the closest pharmacy / the closest pharmacy on duty?

- Que farmácia está aberta hoje?
  → Which pharmacy is open today?

Doenças p. 100

Exprimir o mal-estar | ## Describing an illness

- Estou constipado. → I've got a cold.

- Dói-me
  a garganta /
  a cabeça /
  o estômago.
  → I've got
  a sore throat /
  a headache /
  a stomach ache.

- Não me sinto bem. → I don't feel well.

- Sinto tonturas. → I'm feeling dizzy.

- Uma abelha picou-me. → A bee stung me.

- Tenho a mão inchada! → My hand's swollen!

Pedir um medicamento | ## Asking for medication

- Preciso de… → I need…

- Queria
  uma aspirina /
  um sonífero.
  → I'd like
  some aspirin /
  some sleeping pills.

- Uma caixa de primeiros socorros, por favor. → A first aid box, please.

- Que remédio me pode aconselhar para a enxaqueca? → What medicine could you give me for a migraine?

- Pode medir-me a tensão, por favor? → Could you measure my blood pressure, please?

- Geralmente a mínima é alta. → The minimum is normally high.

- Pode medir-me o açúcar no sangue? → Can you measure my blood sugar level?

- A tensão está
  normal /
  alta /
  baixa.
  → Your blood pressure is
  normal /
  high /
  low.

- O que me pode aconselhar para as dores de…?
  (p. ex. dores de cabeça)
  → What do you recommend for a… ache?
  (e.g. a headache)

Esclarecer dúvidas | ## Clarifying doubts

- Que tipo de medicamento é este? → What type of medicine is this?

- Devo tomá-lo inteiro? → Should I take it whole?

- Quantas vezes por dia devo tomá-lo? → How many times a day should I take it?

- A que horas devo tomar o antibiótico? → **At what time should I take the antibiotic?**

- Antes, durante ou depois das refeições? → **Before, after or during the meals?**

- Isto não ataca o estômago? → **Doesn't this upset the stomach?**

- Quantas colheres de xarope devo tomar? → **How many spoons of syrup should I take?**

- Posso dissolver este medicamento em água? → **Can I dissolve this medicine in water?**

- É precisa receita médica para comprar este medicamento? → **Does this medicine need a prescription?**

- Não tenho receita. Sou estrangeiro. → **I haven't got a prescription. I'm a foreigner.**

- Não existe um produto similar? → **Isn't there a similar product?**

- Sou alérgico a... → **I'm allergic to...**

- Não temos este medicamento. → **We haven't got this medicine.**

- Este produto é similar. → **This one's similar.**

O pagamento   **Payment**

- Quanto custa? → **How much is it?**

- É / São... euros por favor. → **It's..., please.**

Consultório médico **In the doctor's office**

vocabulário

• a análise	clinical analysis	• o exame	medical examination
• a assistente	attending physician	• a ida ao médico	visit to the doctor
• a consulta	appointment	• o(a) médico(a)	doctor / physician
• o estetoscópio	stethoscope	• a sala de espera	waiting room

Algarismos e números p. 173 ▪ *Pagamentos e formas de pagamento* p. 122

Saúde

O corpo humano The human body

• a cabeça	head	• a clavícula	clavicle / collar-bone
• a testa	forehead	• a coluna vertebral	vertebral column / backbone
• o olho / os olhos	eye / eyes	• o coração	heart
• a cara / o rosto	face	• as costas	back
• o nariz	nose	• a costela	rib
• a boca	mouth	• os dentes:	teeth:
• o queixo	chin	o canino	canine
		o incisivo	incisor / foretooth
• a orelha	ear	o molar	molar
• o ombro	shoulder	• o esófago	oesophagus
• o braço	arm	• o estômago	stomach
• o cotovelo	elbow	• o fígado	liver
• o pulso	wrist	• a garganta	throat
• a mão	hand	• a gengiva	gum
• o dedo	finger	• os intestinos	intestines
• o peito	chest	• o lábio	lip
• a anca	hip	• a língua	tongue
• a perna	leg	• o maxilar	jaw
• a coxa	thigh	• a medula espinal	spinal cord / medulla
• o joelho	knee		
• o pé	foot	• o músculo	muscle
• o tornozelo	ankle	• o nervo	nerve
• o calcanhar	heel	• o osso	bone
• o dedo grande do pé	big toe	• o ouvido	ear
		• o pulmão	lung
• as amígdalas	tonsils	• o rim	kidney
• o apêndice	appendix	• a rótula	kneecap / patella
• a artéria	artery	• o sangue	blood
• a articulação	joint	• o sistema nervoso / linfático	nervous / lymphatic system
• a barriga	belly		
• a bexiga	bladder	• a traqueia	trachea
• o cabelo	hair	• o tronco	torso
• a cavidade oral	oral cavity	• o umbigo	navel / belly button
• o cérebro	brain	• a veia	vein

Descrever um mal-estar / relatar sintomas p. 102 **99**

GUIA.JN © Porto Editora

Doenças Illnesses

• a amigdalite	tonsilitis	• a gripe	flu
• a anemia	anaemia	• a infeção urinária	urinary tract infection
• a angina	angina	• a intoxicação alimentar	food poisoning
• a artrite	arthritis		
• o ataque cardíaco	heart attack	• a laringite	laryngitis
• a bronquite	bronchitis	• a papeira	mumps
• a catarata	cataracts	• a pneumonia	pneumonia
• a congestão	congestion	• a rubéola	German measles / rubella
• a conjuntivite	conjunctivitis	• o sarampo	measles
• a constipação	cold	• tensão alta / baixa	high / low blood pressure
• a diarreia	diarrhoea		
• a difteria	diphtheria	• o tétano	tetanus
• o coma diabético	diabetic coma	• a tosse	cough
• a enxaqueca	migraine	• a tosse convulsa	cough / whooping
• a febre	fever	• a úlcera de estômago	stomach ulcer
• a febre dos fenos	hayfever	• a varicela	chickenpox

As especialidades médicas Medical specialities

• o alergologista	allergist	• o ginecologista	gynaecologist
• o dentista	dentist	• o oftalmologista	ophthalmologist
• o dermatologista	dermatologist	• o otorrinolaringologista	otolaryngologist
• o especialista	specialist	• a parteira	midwife
• o estomatologista	stomatologist	• o pediatra	paediatrician

Descrever um mal-estar / relatar sintomas p. 102

Saúde

Doenças crónicas ou situações com acompanhamento especial

- a alergia — allergy
- a asma — asthma
- o cancro — cancer
- a diabetes — diabetes
- a doença cardíaca — heart disease

Chronic diseases or situations that require special monitoring

- a gravidez — pregnancy
- a hérnia — hernia
- o reumatismo — rheumatism
- a sida — AIDS
- o tumor — tumour
- a úlcera — ulcer

expressões

Onde fica?

- Há aqui um médico?
- Preciso de um médico, depressa!
- Telefone a um médico, por favor.
- Há um consultório aqui perto?
- Onde é o consultório do Dr. ...?
- Procuro um consultório de clínica geral.
- Pode aconselhar-me um bom dentista?

Where is...?

- Is there a doctor here?
- I need a doctor, quickly!
- Call a doctor, please.
- Is there a clinic nearby?
- Where is Dr. ...'s clinic?
- I'm looking for a general practitioner's clinic.
- Can you recommend me a good dentist?

Chamar um médico

- Chame um médico!
- Estou doente / ferido.
- Há algum médico neste hotel?
- É possível chamar uma ambulância?
- O médico poderá vir examinar-me aqui?
- A que horas poderá vir o médico?
- Não me sinto bem, acho que vou desmaiar.

Asking to call a doctor

- Call a doctor!
- I'm ill (sick) / hurt.
- Is there a doctor in this hotel?
- Could you possibly call an ambulance?
- Can the doctor come and examine me here?
- At what time can the doctor come?
- I'm not feeling well, I think I'm going to faint.

GUIACIN © Porto Editora

GUIACIN © Porto Editora

Marcar uma consulta

- Tenho uma consulta marcada.
- Queria uma consulta com urgência, por favor.
- Não pode ser antes?
- Qual é o horário das consultas?

Making an appointment

→ I've made an appointment.
→ I'd like an appointment urgently, please.
→ Can't it be before that?
→ What are the consulting hours?

Descrever um mal-estar / relatar sintomas

- Do que é que se queixa?
- Estou doente.
- Tenho febre.
- Tenho dores fortes nas costas e um pouco de tosse.
- O nariz não para de sangrar.
- Onde é que lhe dói?
- Dói-me o peito.
- Tenho uma dor
  no braço /
  na mão /
  na perna.
- Tenho muitas cãibras.
- Tenho um dedo inchado.
- Pode ver
  esta bolha /
  este papo /
  este golpe /
  este inchaço /
  esta erupção /
  esta picadela de inseto?
- Sinto-me com náuseas.
- Comi alguma coisa que me fez mal.
- Tenho tonturas.
- Dói-me.
- Sinto falta de ar.

Describing an illness / outlining symptoms

→ What seems to be the matter?
→ I'm sick.
→ I'm running a fever.
→ I've got a strong backache and I've been coughing a little.
→ My nose won't stop bleeding.
→ Where does it hurt?
→ My chest hurts.
→ I've got a pain
  in my arm /
  in my hand /
  in my leg.
→ I'm getting a lot of cramps.
→ My finger is swollen.
→ Can you see
  this blister /
  this lump /
  this cut /
  this swelling /
  this rash /
  this insect bite?
→ I'm feeling nauseous.
→ I ate something that has made me ill.
→ I'm feeling dizzy.
→ It hurts.
→ I feel short of breath.

▪ Não consigo respirar.	**I have difficulty in breathing.**
▪ Dói-me, quando me baixo.	**It hurts when I bend down.**
▪ Dói-me, quando se carrega aqui.	**It hurts when you press here.**
▪ Desmaiei duas / três vezes.	**I've fainted twice / three times.**
▪ Fiz análises ao sangue antes de vir para cá: os valores estavam todos normais.	**I had some blood tests done before coming here. All the results were normal.**
▪ Tenho o colesterol muito alto.	**My cholesterol level is high.**
▪ Vomito muitas vezes.	**I throw up a lot.**
▪ Comecei a sentir-me mal depois de comer.	**I started feeling ill after having eaten.**
▪ Há já alguns dias que não faço bem a digestão.	**My digestion has been sluggish for quite a few days.**
▪ Sinto azia forte no estômago.	**I've been having strong heartburn.**
▪ Sou alérgico à Penicilina.	**I'm allergic to Penicillin.**
▪ Fui vacinado contra o tétano.	**I've been vaccincated against tetanus.**
▪ Eu tomo medicamentos / a pílula.	**I am taking medication / the Pill.**
▪ Tenho diarreia / prisão de ventre.	**I have diarrhoea / constipation.**
▪ Tenho gastrite.	**I've got gastritis.**
▪ Já fui operado ao apêndice.	**I've already had my appendix taken out.**
▪ Fui operado recentemente.	**I recently underwent an operation.**
▪ Tenho muitas vezes dores de cabeça.	**I often get headaches.**
▪ Sou doente cardíaco.	**I'm a cardiac patient.**
▪ Sofro de insónias.	**I suffer from insomnia.**
▪ Não consigo dormir.	**I can't sleep.**
▪ Tenho pesadelos muitas vezes.	**I often have nightmares.**
▪ Pode receitar-me um antidepressivo / calmante / sonífero?	**Could you prescribe an anti-depressant / sedative / sleeping pill?**

GUIACIN © Porto Editora

Sinto-me deprimido.	I feel depressed.
Não consigo comer.	I can't eat.
Parti a minha dentadura postiça.	I've broken my dentures.
Pode consertá-la?	Could you repair them?
Quando estará pronta?	When will it be ready?
Dói-me um dente / o dente do siso.	I've got toothache / My wisdom tooth hurts.
Tenho um abcesso.	I've got an abscess.
A gengiva está muito inflamada / sangra.	My gum's very swollen / bleeding.
É um dente chumbado.	It's a filled tooth.
Perdi o chumbo de um dente.	I've lost a tooth filling.
Tem de tratar essa cárie.	This decay needs to be treated.
Pode reconstituir o dente?	Can you rebuild the tooth?
Pode arranjá-lo temporariamente?	Could you mend it temporarily?
Não quero que seja extraído.	I don't want it to be extracted.
Tem de ser extraído?	Does it have to be extracted?
Vai ser preciso uma anestesia?	Will it require anaesthetic?
Aconselha-me algum analgésico?	What painkiller should I take?
Quando volto para o tratamento?	When do I have to come back for the treatment?
Este é o remédio que costumo tomar.	This is the medicine I usually take.
Preciso deste medicamento.	I need this medicine.
Estou grávida.	I'm pregnant.
Sou diabético.	I'm diabetic.
Sou seropositivo.	I have HIV.
Estou a fazer dieta.	I'm on a diet.
Posso viajar?	May I travel?
Aqui está a receita.	Here's your prescription.

Doenças p. 100

Saúde

O conselho médico / a receita

The doctor's advice / prescription

- Há quanto tempo tem esta dor? → How long have you been experiencing this pain?

- Há quanto tempo se sente assim? → How long have you been feeling like this?

- Que dose de insulina está a tomar? → What dose of insulin have you been taking?

- Em injeções ou por via oral? → Is it orally taken or injected?

- Não há razão para preocupações. → There's no reason for concern.

- Tem...? → Do you have...?

- Vou receitar-lhe um medicamento / um antibiótico / comprimidos. → I'm going to prescribe some medicine / an antibiotic / some pills.

- Tome-os duas ou três vezes por dia. → Take them twice or three times a day.

- Volte cá daqui a três dias! → Come back in three days.

- Descanse bem estes próximos dias! → Take a good rest for the next few days.

- Não faça muitos esforços! → Don't strain yourself so much.

- Quando nasce o bebé? → When is the baby due?

- Não poderá viajar até... → You won't be able to travel until...

- Beba muita água / muitos líquidos! → Drink a lot of water / lots of liquids.

- Evite as bebidas alcoólicas! → Avoid alcoholic drinks.

- Isto é uma urticária. → This is an outbreak of hives.

- Tem de parar de fumar. → You have to stop smoking.

- Tenho comichão aqui. → I have an itch here.

- Não se esqueça de lavar os dentes diariamente! → Don't forget to brush your teeth daily.

- Use fio dental! → Use dental floss.

- Tem de ficar de cama / ir para o hospital. → You must stay in bed / go to the hospital.

- Vão ser necessários alguns exames. → Some medical tests are going to be necessary.

GUIA.IN © Porto Editora

GUIACIN © Porto Editora

Pagamento	**Payment**
▪ Quanto tenho de pagar?	→ **How much is it?**
▪ Pago agora, ou manda-me a conta?	→ **Should I pay now or will you send me the bill?**
▪ É melhor pagar já.	→ **It's better to pay now.**
▪ Mando-lhe a conta.	→ **I'll send you the bill.**
▪ Obrigado, senhor doutor!	→ **Thank you, doctor.**
▪ Tenho um seguro de saúde.	→ **I have health insurance.**
▪ Tenho um Cartão Europeu de Seguro de Doença (CESD).	→ **I have a European Health Insurance Card.**

Hospital **Hospital**

vocabulário

♦ o adesivo	adhesive plaster	♦ a intervenção cirúrgica	surgical intervention
♦ o álcool	alcohol	♦ a ligadura	bandage
♦ o algodão	cotton wool	♦ a maca	stretcher
♦ o boletim de vacinas	the vaccination record / booklet	♦ o mercuro-cromo	merbromin
♦ a cadeira de rodas	wheelchair	♦ a muleta	crutches
♦ a cirurgia	surgery	♦ a operação	operation
♦ os cuidados intensivos intermédios	intensive and intermediate care	♦ o penso	dressing
♦ a ecografia	sonogram	♦ a radiografia / raios X	radiography / X-ray
♦ o gesso	plaster cast	♦ seropositivo / seronegativo	HIV positive / HIV negative
♦ o grupo sanguíneo	blood group	♦ a TAC	CT scan
♦ a injeção intra-venosa / intra-muscular	intravenous / intramuscular injection	♦ a tintura de iodo	iodine tincture
		♦ a vacina	vaccine

Saúde

As instalações Hospital facilities

- o atendimento — reception
- a cantina — canteen
- a enfermaria — ward
- a especialidade — speciality
- o quarto — room

- a sala de espera — waiting room
- a sala de operações — operating theatre
- as urgências — Accident and Emergency

Pessoal hospitalar Hospital staff

- o anestesista — anaesthetist
- o cardiologista — cardiologist
- o cirurgião — surgeon
- o(a) enfermeiro(a) — nurse
- o especialista — the specialist

- o maqueiro — stretcher-bearer
- o(a) médico(a) — the doctor
- o médico de clínica geral — general practitioner
- o neurologista — neurologist
- o psiquiatra — psychiatrist

expressões

Onde fica?

- Onde fica o quarto número…?
- Em que andar ficam os queimados / os doentes infetocontagiosos?
- Onde é a sala de partos?
- Onde fica a casa de banho?

Descrever um ferimento

- Veja a ferida.
- É preciso desinfetar a ferida.
- Tenho uma infeção cutânea / respiratória / intestinal.

Where is…?

→ Where's room number…?
→ On which floor are the burnt / the infectious and contagious patients?
→ Where is the maternity ward?
→ Where is the bathroom / toilet?

Describing a wound

→ Look at the wound.
→ The wound needs to be disinfected.
→ I've got a skin / respiratory / intestinal infection.

GUIACIN © Porto Editora

GUIACIN © Porto Editora

- A pele está
  arranhada /
  às manchas vermelhas /
  pisada.
→ The skin
  is scratched /
  has red patches /
  is bruised.

- Está gravemente queimado.
→ You're severely burnt.

- São queimaduras solares.
→ They're sun burns.

- Qual é o seu diagnóstico, senhor doutor?
→ What is your diagnosis, doctor?

- Tem uma fratura (exposta).
→ You have (an exposed) fracture.

- Tem uma hemorragia.
→ You have a haemorrhage.

- Precisa de uma transfusão.
→ You need a blood transfusion.

- É
  uma infeção /
  uma inflamação /
  um hematoma.
→ It's
  an infection /
  an inflammation /
  a haematoma.

- Vai ser operado.
→ You're going to have an operation.

- Terá uma anestesia local / geral.
→ You'll have a local / general anaesthetic.

- Rápido! Tem de ser feita uma lavagem ao estômago.
→ Quick! A gastric lavage has to be done.

Contacto com o pessoal

Contact with staff

- Enfermeira, chame o médico!
→ Nurse, call the doctor!

- Pode ajudar a levantar-me?
→ Could you help me get up?

- Pode arranjar-me mais
  uma almofada /
  um cobertor, por favor?
→ Could you please provide me with
  another pillow /
  blanket?

- Tenho frio.
→ I'm cold.

- Tenho calor.
→ I'm hot.

- Deixei cair uma lente de contacto!
→ I've dropped one of my contact lenses.

- Tenho mesmo de fazer dieta?
→ Do I really have to go on a diet?

- Quando é que o médico vem observar-me?
→ When is the doctor coming to check on me?

- Vai
  deixar-me sair hoje /
  dar-me alta?
→ Are you going
  to let me leave today /
  discharge me?

 Quarto p. 65 ▪ *Casa de banho* p. 70 ▪ *O conselho médico* p. 105

Cidade

Núcleo urbano Towns and cities

vocabulário

a alameda	promenade	o lago	lake
o aqueduto	aqueduct	a loja	shop / store
os arredores	outskirts	o mercado	market
o autocarro	bus	o metropolitano	the underground (RU) / subway (EUA)
a avenida	avenue		
o bairro	residential district	a muralha da cidade	the city walls
o banco	bank	o parque	park
a biblioteca municipal	library	a parte antiga da cidade	historic part of the town
o café	café	a passadeira	pedestrian / zebra crossing
a câmara municipal	town hall		
a capital	capital	a planta da cidade	town plan
o centro comercial	shopping centre	a ponte	bridge
		o porto	harbour
a cidade	the city / town	a praça	square
o consulado	the consulate	o restaurante	restaurant
o correio	the post office	o rio	river
o cruzamento	crossroads / consulate	a rotunda	roundabout (RU) / traffic circle (EUA)
a embaixada	embassy	a rua	street / road
a farmácia	pharmacy	a zona pedestre	pedestrian precinct
a fonte	fountain	os semáforos	traffic lights
o hospital	hospital	o subúrbio	suburb
o hotel	hotel	o táxi	taxi
o infantário	kindergarten / nursery school	as termas	spa
o jardim	garden	a vista	view / landscape

expressões

Onde fica?	Where is...?
Onde fica o(a)... mais próximo(a)?	Where is the closest...?
Procuro um / uma...	I'm looking for a...
Há um / uma... perto daqui?	Is there a... nearby?
Onde é o / a...	Where is the...?

Orientação na cidade

Orientation in the city

- Siga sempre em frente! → Go straight ahead.
- Vire à direita / à esquerda. → Turn right / left.
- Vá até ao cruzamento! → Go until the crossroads.
- É a primeira / segunda rua à direita. → It's the first / second road on the right.
- Fica mesmo ao lado da livraria. → It's right next to the bookshop.
- É muito longe para ir a pé. → It's too far to walk there.
- Apanhe o autocarro número… → Catch bus number…
- Quer que o acompanhe? → Would you like me to accompany you?
- Há uma paragem de autocarros perto daqui? → Is there a bus stop nearby?
- Onde posso encontrar um táxi? → Where can I find a taxi?

Turismo Tourism

vocabulário

Visitas turísticas Tourist visits

a aldeia	village	o esboço	sketch
o alto-relevo	high relief	o escultor	sculptor
as antiguidades	antiquities	a escultura	sculpture
o arco	arch	a estátua	statue
a arqueologia	archaeology	a excursão	excursion
o arquiteto	architect	a exposição	exhibition
a arte	art	a fachada	façade
o artista	artist	a fortaleza	fortress
o baixo-relevo	bas-relief	o fresco	fresco
as belas-artes	fine arts	a gravura	engraving
o brasão	coat of arms	a gruta	cave
o bronze	bronze	o guia turístico	guidebook
o busto	torso	a História	History
o carrossel	carousel	o imperador	emperor
o castelo	castle	a imperatriz	empress
o cicerone	guide	a inscrição	inscription
a cúpula	dome		

• o mármore	marble	• o pintor	painter
• a moldura	frame	• a pintura	painting
• o monumento	monument	• a ponte levadiça	drawbridge
• o museu de arte antiga / de arte contemporânea / de artes modernas / de belas-artes	museum of ancient art / contemporary art / modern art / fine arts	• a princesa	princess
		• o príncipe	prince
		• o quadro	picture
		• a rainha	queen
• o museu de história natural	natural history museum	• o rei	king
• a natureza morta	still life	• o retrato	portrait
• o original	original	• a ruína	ruins
• a paisagem	landscape / natural scenery	• o século	century
		• o tapeçaria	tapestry
• o palácio	palace	• a vila	town

A feira The fair

• os carrinhos de choque	bumper cars / dodgems	• o fogo de artifício	fireworks
		• a lotaria	lottery
• o carrossel	merry-go-round (RU) / carousel (EUA)	• a montanha-russa	rollercoaster
• o comboio-fantasma	ghost train	• o parque de diversões	amusement park
		• as pipocas	popcorn
• o crepe	crêpe	• a roda da sorte	wheel of fortune
• a festa	party	• o tiro ao alvo	target practice

expressões

Pedir informações sobre locais, preços e horários		Asking for information about places, prices and timetables
▪ Que atrações existem aqui?	←	What (tourist) attractions can you find here?
▪ Tem um calendário de eventos culturais?	←	Have you got a calendar of cultural events?
▪ Pode recomendar-me um bom espetáculo para esta noite?	←	Could you recommend me a good show for tonight?

GUIACIN © Porto Editora

Cidade

▪ Onde posso ver uma boa peça de teatro / um bom filme / um concerto / um espetáculo de variedades?	**Where can I see a good play / a good film / a concert / a variety show?**
▪ Os lugares são bons?	**Are the seats in a good position?**
▪ A que horas começa / acaba…?	**What time does it… start / finish?**
▪ A que horas abre / fecha o museu?	**What time does the museum open / close?**
▪ Está aberto durante todo o dia?	**Is it open all day?**
▪ A visita é guiada?	**Is it a guided tour?**
▪ Há guias turísticos e meios audiovisuais?	**Are there tourist guides and audiovisual equipment?**
▪ Quero usar o mapa da cidade.	**I'd like to see the town plan.**
▪ O que recomenda visitar em… dias?	**What do you recommend visiting over the course of… days?**
▪ Esse lugar tem acesso para cadeira de rodas?	**Is there wheelchair access here?**
▪ Existe algum passeio de barco no rio / lago?	**Is there a boat trip on the river / lake?**
▪ Onde posso obter informações sobre excursões?	**Where can I find information about excursions?**

Compra dos bilhetes

Buying tickets

▪ Entrada livre.	**Free entry / admission.**
▪ Quanto custa a entrada?	**How much does the entry fee cost / is the admission?**
▪ Queria um bilhete / dois bilhetes, por favor.	**I'd like one / two ticket(s), please.**
▪ Há reduções para crianças / estudantes?	**Are there any reductions for children / students?**
▪ Há algum dia da semana com preços reduzidos?	**Is there any day with a price reduction?**
▪ O senhor está na fila?	**Are you in the queue?**

Exprimir interesse sobre um determinado tema	**Expressing an interest in a certain topic**

- Interesso-me por
  antiguidades /
  arqueologia /
  arte /
  artesanato /
  olaria /
  pintura /
  escultura.

→ I'm interested in
  antiquities /
  archaeology /
  art /
  crafts /
  pottery /
  painting /
  sculpture.

- Onde está exposto o quadro de...?

→ Where is the painting / picture of... on display?

- Onde posso encontrar...?

→ Where can I find...?

Comentar, exprimir uma apreciação	**Commenting, expressing an impression**

É...	It's...
barulhento	noisy
calmo	calm
diferente	different
espantoso	astonishing / amazing
estranho	strange
estupendo	splendid
extraordinário	extraordinary
fantástico	fantastic
feio	ugly
grandioso	grand
horroroso	horrible
interessante	interesting
lindo	beautiful
lúgubre	grim
magnífico	magnificent
monumental	monumental
pavoroso	dreadful
raro	rare
terrível	terrible
tremendo	tremendous

Exprimir agrado / desagrado (reclamar) p. 161

Lazer **Leisure**

vocabulário

♦ o ator	actor
♦ a atriz	actress
♦ os aplausos	applause
♦ o argumento	plot
♦ o bailado	ballet
♦ o casino	casino
♦ o cinema	cinema
♦ o circo	circus
♦ o concerto	concert
♦ a discoteca	club (nightclub)
♦ o espetáculo	the performance / show
♦ o êxito	success
♦ o festival	festival
♦ a ópera	opera
♦ a orquestra	orchestra
♦ o produtor	producer
♦ o teatro	theatre

o jogo de cartas / a carta de jogar ...	the game / pack of cards
o rei	king
a dama	queen
o valete	jack
o ás	ace
as espadas	spades
as copas	hearts
os ouros	diamonds
os paus	clubs
o *bridge*	bridge
a canasta	canasta
o póquer	poker
o *whist*	whist
o xadrez	chess
o rei	king
a rainha	queen
a torre	castle / rook
o bispo	bishop
o cavalo	knight
o peão	pawn
xeque	check
xeque-mate	checkmate
jogo de damas	draughts
a peça	draughtsman

Convites

- O convite para
  almoçar /
  jantar /
  uma bebida /
  dançar...

- Como estás / tem passado?

- Está sozinho(a)?

Invitations

- Invitation to go out
  for lunch /
  for dinner /
  for a drink /
  to dance...

- How are you / have you been?

- Are you alone?

GUIACIN © Porto Editora

▪ Estou com
    amigos /
    um(a) amigo(a) /
    a família.
	→ I'm with
	    some friends /
	    a friend /
	    the family.

▪ Estou em viagem
    de negócios /
    de férias.
	→ I'm
	    on a business trip /
	    on holiday.

▪ Está à espera de alguém?	→ Are you waiting for someone?

▪ Está ocupada
    logo /
    amanhã?
	→ Are you busy
	    later /
	    tomorrow?

▪ Quer sair comigo
    esta noite /
    amanhã?
	→ Would you like to go out with me
	    tonight /
	    tomorrow?

▪ Posso convidá-la para
    almoçar /
    jantar?
	→ Can I invite you for
	    lunch /
	    dinner?

▪ Conhece um bom restaurante?	→ Do you know a good restaurant?

▪ Posso oferecer-lhe
    uma bebida /
    um café?
	→ Can I get you
	    a drink /
	    a coffee?

▪ Vamos
    ao cinema /
    ao teatro /
    à discoteca?
	→ Shall we go to
	    the cinema /
	    the theatre /
	    a club?

▪ Quer ir
    dançar /
    dar uma volta?
	→ Would you like to go
	    dancing /
	    out for a walk?

▪ Onde mora?	→ Where do you live?
▪ Qual é o seu número de telefone?	→ What's your telephone number?
▪ Onde e a que horas nos encontramos?	→ Where and when should we meet?
▪ A que horas devemos ir?	→ What time should we go?
▪ Posso vir buscá-la a casa?	→ May I pick you up at...?
▪ Posso acompanhá-la a casa?	→ May I walk you home?
▪ É muito simpático da sua parte.	→ It's very nice of you.
▪ Obrigado por esta noite tão agradável.	→ Thank you very much for such a pleasant evening.
▪ Espero voltar a vê-la em breve.	→ I hope I can see you again soon.
▪ Até breve! / Até amanhã!	→ See you soon / tomorrow!

Indicar momentos e lugares p. 165

Cidade

Espetáculos

Shows

- Onde fica
  o cinema /
  o teatro /
  a ópera /
  a sala de concertos?

→ Where is
  the cinema /
  the theatre /
  the opera theatre /
  the concert hall?

- Pode aconselhar-me uma boa discoteca?

→ Could you recommend me a good club?

- O que há hoje à noite no cinema?

→ What's on at the cinema tonight?

- Pode aconselhar-me
  um bom filme /
  uma comédia /
  algo divertido /
  um filme policial?

→ Could you recommend me
  a good film /
  a comedy /
  something fun /
  a crime movie?

- Onde vai ser exibido o novo filme de...?

→ Where is the new film by... going to be on?

- O que há agora no teatro?

→ What's on at the theatre?

- Que género de peça é?

→ What kind of play is it?

- Em que teatro está a nova peça de...?

→ Which theatre is showing the new play by...?

- A que horas começa o espetáculo?

→ What time does the show start?

- Que ópera está em exibição esta noite?

→ Which opera is on tonight?

- Quem canta / dança?

→ Who's singing / dancing?

- Que orquestra toca?

→ Which orchestra is playing?

- Quem é o maestro?

→ Who's the conductor?

- Ainda há bilhetes para hoje à noite?

→ Are there still tickets for tonight?

- Quanto custam os bilhetes de plateia?

→ How much are tickets?

- Queria reservar dois bilhetes de plateia para o espetáculo de sábado à noite.

→ I'd like to reserve two tickets / two seats for Saturday night's show.

- Queria um bilhete para a *matinée* de domingo.

→ I'd like a ticket for the Sunday matinée.

- Queria um bilhete de plateia, não muito atrás.

→ I'd like a ticket for the stalls, not too far back.

- No meio, pode ser?

→ In the middle, if possible?

- Quanto custam os bilhetes de balcão?

→ How much do the tickets for the balcony cost?

- É necessário traje de noite?

→ Is evening dress necessary?

- Pode dar-me um programa, por favor?

→ Could you give me a programme, please?

- Pode guardar-me o casaco?

→ Could I leave this coat here, please?

Comércio e serviços   **Shops and services**

1 o expositor
display cabinet / case

2 a caixa registadora
cash register / till

3 o balcão
counter

4 a montra
the shop window

◆ a agência de viagens	travel agency
◆ o antiquário	antique shop
◆ o armazém	warehouse
◆ o bar	the bar
◆ o barbeiro	barber's
◆ o cabeleireiro	hairdresser's
◆ a cervejaria	the pub
◆ a confeitaria	bakery
◆ a discoteca	club / nightclub
◆ a galeria de arte	art gallery
◆ o instituto de beleza	beauty salon
◆ a joalharia	jeweller's
◆ a lavandaria	laundry
◆ a livraria	bookshop
◆ a loja de brinquedos	toy shop
◆ a loja de fotografia	photographic equipment shop
◆ a loja de lembranças	souvenir shop
◆ a loja da tecnologia	the computer shop
◆ a loja de vinhos	wine shop
◆ o mercado	market
◆ a mercearia	grocer's
◆ o oculista	optician
◆ a padaria	baker's
◆ a peixaria	fishmonger's
◆ o quiosque	news stand
◆ a relojoaria	watchmaker's
◆ a sapataria	shoemaker's
◆ o supermercado	supermarket
◆ a tabacaria	tobacconist's
◆ o talho	butcher's

expressões

Pedir informações

- Onde fica o/a... mais próximo/a?
- Onde há um bom / uma boa...?
- Onde posso encontrar...?
- Pode recomendar-me um / uma...
- Como posso ir para lá?
- Pode ajudar-me?
- Queria comprar...
- Tem...?
- Posso ver aquilo?
- Onde é a cabina de provas?
- Quando começam os saldos?
- Quais são os artigos em promoção?

Asking for information

- Where is the nearest (closest)...?
- Where is there a good...?
- Where can I find...?
- Could you recommend me a...?
- How do I get there?
- Could you help me?
- I'd like to buy...
- Do you have...?
- Can I see that?
- Where's the changing cubicle?
- When do the sales start?
- What items are on offer?

Descrever / pedir um objeto

- Pode mostrar-me aquele / aquela... que está na montra / no mostruário?
- Está ali.
- Não quero nada muito caro.
- O que procuro é antes...

Describing / asking for an object

- Could you show me the one that's in the shop window / in the display cabinet?
- It's over there.
- I don't want anything too expensive.
- What I'm really looking for is...

Queria que fosse... I'd like it to be...

bom	good	pesado	heavy
barato	cheap	de prata	in silver
quadrado	square	de ouro	in gold
oval	oval	desta cor	this colour
retangular	rectangular	de algodão	made of cottonwool
redondo	round	de cabedal	made of leather
claro	light	de seda	made of silk
escuro	dark	de veludo	made of velvet
grande	big	de borracha	made of rubber
pequeno	small	parecido com isto	similar to this
leve	light		

GUIALIN © Porto Editora

Exprimir uma preferência p. 120

119

As lembranças

- Eu queria uma lembrança desta   →
região.

- O que é que me aconselha?   →

- Que há de mais típico aqui?   →

Souvenirs

- I'd like a souvenir of the region.

- What would you recommend?

- What's the most traditional thing
here?

Exprimir uma preferência

- Pode mostrar-me outros?   →

- Não tem nada   →
mais barato /
melhor /
maior /
mais pequeno /
de outra cor?

- Prefiro…   →

- Gosto mais de… / muito de…   →

- Não me fica muito bem.   →

- Não é bem esta cor / este tipo.   →

Expressing a preference

- Could you show me some other ones?

- Haven't you got anything
cheaper /
better /
bigger /
smaller /
in another colour?

- I prefer…

- I'd like… more / very much.

- It doesn't suit me very well.

- It's not exactly this colour / this
shade.

Encomenda / compra

- De momento não temos o que   →
deseja.

- Quer que encomendemos?   →

- É possível encomendar?   →

- Gostaria de encomendar um.   →

- Quanto tempo demora?   →

- Estará cá ainda hoje / amanhã?   →

- É mesmo isto que quero.   →

- Levo-o comigo.   →

- Pode embrulhar-mo, por favor?   →

- Quero oferecê-lo de presente.   →

- É possível mandá-lo para esta   →
morada?

Ordering / purchasing

- We haven't got what you'd like at the
moment.

- Do you want us to order it?

- Can it be ordered?

- I'd like to order one.

- How long will it take?

- Will it get here by today / tomorrow?

- This is exactly what I want.

- I'll take it.

- Could you wrap it for me?

- I'd like it to be a present.

- Is it possible to send it to this
address?

Reclamações / pedido de troca

Complaining / requesting a change or replacement

- Enganou-se na conta. → You've made a mistake in the amount to pay.

- Queria devolver isto. → I'd like to return this.

- Isto está partido / estragado. → This is broken / spoiled.

- Está rachado. → It's cracked.

- Isto tem um buraco. → This has got a hole.

- O bolso está roto. → The pocket is torn.

- É preciso coser a bainha. → The hem needs to be sewn.

- Isto não funciona. → This doesn't work.

- Pode trocar-me isto? → Could you change this for me?

- Quero trocar isto. → I'd like to change this.

- Não é o meu número. → It isn't my size.

- Isto não está completo. → This isn't complete.

- Eu queria o reembolso. Aqui está o recibo. → I'd like a refund. Here's the receipt.

Pedido de reparações

Requesting repairs

- Este aparelho não funciona. Pode mandar repará-lo? → This machine doesn't work. Could you repair it?

- Tenho problemas com isto. → I'm having problems with this.

- Estas calças estão largas. Pode mandá-las arranjar? → These trousers are too wide. Could you adjust them for me?

Pedido de desconto

Asking for a discount

- Isto é muito caro. Assim não posso levá-lo. → It's too expensive. I can't take it.

- Ah, não queria gastar mais de…! → Oh, I wouldn't want to spend more than…!

- Este preço é fixo? → Is it a fixed price?

- Não pode fazer um desconto? → Can't you make a discount?

- Este artigo está em saldo? → Isn't this item on sale?

Exprimir agrado/desagrado (reclamar) p. 161 121

Pagamento e formas de pagamento	**Payment and ways of paying**
▪ Quanto custa isto?	→ How much is it?
▪ Custa (…) euros / libras.	→ It costs (…) euros / pounds.
▪ Não posso / Não quero gastar mais de…	→ I can't / don't want to spend more than…
▪ Posso pagar aqui?	→ Can I pay here?
▪ Não, deve pagar na caixa.	→ No, you should pay at the checkout.
▪ Onde é a caixa?	→ Where is the checkout?
▪ A caixa é ali.	→ The checkout is over there.
▪ Como pretende pagar?	→ How do you intend to pay?
▪ Em moeda / em cheque / com cartão de crédito / em divisas.	→ In cash by cheque / by credit card / in foreign currency.
▪ Aceita cheques / cartão de crédito?	→ Do you accept cheques / credit cards?
▪ Não tem trocado?	→ Do you have any change?
▪ Aqui tem o troco.	→ Here's the change.
▪ Pode ficar com o troco.	→ You can keep the change.
▪ Tenho de pagar IVA?	→ Do I have to pay VAT (value added tax)?
▪ O preço com IVA é de… euros.	→ The price with VAT is…

Algarismos e números p. 173

C
i
d
a
d
e

No cabeleireiro / Esteticista

At the hairdresser's

- Pode atender-me agora? →
- Can you help me?

- Quanto tempo tenho de esperar? →
- How long do I have to wait?

- Tenho tempo, posso esperar. →
- I've got some time, I can wait.

- Estou com muita pressa, tenho de ir-me embora. →
- I'm in a big hurry, I have to go.

- Queria cortar o cabelo. →
- I'd like a haircut.

- Queria
  um novo penteado /
  um corte à navalha. →
- I'd like
  a new hairstyle /
  a razor haircut.

- Queria apenas lavar e pentear. →
- I'd just like to have it washed and combed.

- Normalmente uso champô para cabelos
  normais /
  secos /
  oleosos. →
- I normally use shampoo
  for
  normal /
  dry /
  oily hair.

- Pode aplicar-me uma loção para cabelos brancos? →
- Could you use a lotion for my white hair?

- Quero fazer
  uma permanente /
  uma coloração de cabelo /
  uma manicura /
  uma pedicura /
  uma máscara facial. →
- I'd like to have
  a perm /
  my hair tinted /
  a manicure /
  a pedicure /
  a facial mask.

- Que verniz prefere? →
- What nail polish would you like?

- Quanto tempo é preciso para uma permanente? →
- How long does a perm take?

- Queria pintar o cabelo
  da mesma cor /
  de cor escura /
  de cor mais clara /
  de castanho-dourado /
  de castanho /
  de loiro. →
- I'd like to have my hair dyed
  the same colour /
  a darker colour /
  a lighter colour /
  golden brown /
  brown /
  blond.

- Tem um mostruário das tintas? →
- Have you got a colour chart for the dyes?

- Não corte muito, por favor. →
- Don't cut much off, please.

- Corte um pouco a franja! →
- Cut the fringe a little.

- Pode secar-me o cabelo com o secador? →
- Could I have my hair blow-dried?

- Quero fazer a depilação. →
- I'd like a waxing treatment.

Cidade

No barbeiro

- Barba e corte de cabelo, por favor!
- É só para aparar.
- Não corte com a máquina.
- Só à tesoura, por favor.
- A navalha é nova?
- Não está bem afiada.
- Corte mais um pouco
  atrás /
  na nuca /
  dos lados /
  em cima.
- É suficiente.
- Por favor, escove-me o casaco.
- Pode aparar-me
  a barba /
  o bigode /
  as patilhas?
- Faça-me a barba.
- Obrigado, está ótimo.

At the barber

- I'd like to have my beard and hair cut, please!
- I only want a trim.
- Don't cut it with the machine.
- Only with the scissors, please.
- Is the razor new?
- It's not very sharp.
- Cut a little more
  at the back /
  the nape of the neck /
  on the sides /
  on top.
- That's enough.
- Please brush down my coat.
- Could you trim
  my beard /
  my moustache /
  my sideburns?
- Just a shave, please.
- Thank you, that's fine.

Vestuário

- Queria... para...
- Eu queria qualquer coisa deste género.
- Sabe o tamanho...?
- Posso prová-lo?
- Este ano está na moda.
- Fica-me bem.
- É só preciso
  alongar /
  encurtar um pouco.

Clothing

- I'd like... for...
- I'd like something similar to this.
- Have you got size...?
- May I try it on?
- It's in fashion this year.
- It suits me.
- It only needs
  to be lengthened /
  shortened a little.

- Queria num tom mais escuro que condiga com… → I'd like it in a darker shade, to go with…

- Prefiro
  liso /
  às riscas /
  aos quadrados. → I'd prefer it
  plain /
  striped /
  checked.

- É feito à mão? → Is it handmade?

- Não me serve. → It doesn't fit me.

- Quero um tamanho maior / mais pequeno. → I'd like a larger / smaller size.

- Está muito
  apertado / largo
  curto / comprido → It's very
  narrow / wide /
  short / long.

- Quero
  uma coisa mais fina /
  de melhor qualidade. → I'd like something
  classier /
  of better quality.

- De que é feito? → What's it made of?

- Encolhe? → Does it shrink?

- É preciso passar a ferro? → Does it need ironing?

- Pode-se lavar à máquina? → Is it machine washable?

É de...	It's made of...		
algodão	cotton	gabardina	gabardine
cabedal	leather	lã	wool
camurça	chamois-leather (shammy)	linho	linen
cetim	satin	lã de camelo	camel hair
chiffon	chiffon	popelina	poplin
crepe	crepe	renda	lace
feltro	felt	sarja	serge
flanela	flannel	seda	silk
		tule	tulle
		veludo	velvet

Indicar quantidades, medidas e tamanhos p. 171 ▪ **Sapatos** p. 126 ▪ **Roupas e acessórios** p. 127

Sapatos	Shoes
■ Queria um par de sapatos / sandálias / botas / botins / chinelos.	→ I'd like a pair of shoes / sandals / boots / ankle boots / flip-flops.
■ Queria-os em borracha / pele / camurça / pano.	→ I'd like them in rubber / leather / chamois / cloth.
■ Gostava de experimentá-los.	→ I'd like to try them on.
■ Que número calça?	→ What shoe size are you?
■ Calço o número…	→ I'm size…
■ Estes estão muito apertados / largos / grandes / pequenos.	→ These are too narrow / wide / big / small.
■ É difícil enfiar o pé.	→ It's difficult to slip my foot into the shoe.
■ Pode dar-me a calçadeira, por favor?	→ Could you pass me the shoehorn, please?
■ Tem um tamanho maior / mais pequeno?	→ Have you got a bigger / smaller size?
■ O salto é demasiado alto / baixo.	→ The heel is too high / flat.
■ Não há sapatos de salto mais baixo?	→ Are there no lower heeled shoes?
■ Tem os mesmos em branco / castanho / preto?	→ Have you got the same in white / brown / black?
■ São de pele verdadeira?	→ Is it real leather?
■ E a sola é de coiro?	→ Is the sole also made of leather?
■ Tenho os pés muito sensíveis.	→ I've got very sensitive feet.
■ Quero sapatos cómodos.	→ I'd like comfortable shoes.

- Estes sapatos ficam-me bem. → These shoes suit me.

- Queria também graxa / → I'd like shoe
  atacadores de sapatos.   polish / shoelaces.

- Tem também sapatos / sapatilhas → Have you also got shoes / trainers
  para senhora / homem?   for women / for men?

Roupas e acessórios

Clothes and accessories

Queria...	I'd like...
uma blusa	a blouse
um boné	a cap
um cachecol	a scarf
umas calças	a pair of trousers / slacks
uma camisa	a shirt
uma camisola interior	a sweater
um casaco	a coat
um casaco comprido	an overcoat
um chapéu	a hat
um cinto	a belt
um colete	a waistcoat
um gorro	a beret
uma gravata	a tie
um laço	a bow
um lenço de assoar	a handkerchief
um lenço do pescoço	a neckerchief
umas meias-calças	a pair of tights
uns óculos (de sol)	glasses / sunglasses
um par de luvas	a pair of gloves
um par de meias	a pair of stockings
um par de peúgas	a pair of socks
um pijama	pyjamas
um pulôver	a pullover
um robe	a dressing gown
um roupão de banho	a bathrobe
uma saia	a skirt
uns suspensórios	a pair of braces
um vestido	a dress
um vestido de noite	an evening dress
um xaile	a shawl

Lavandaria e limpeza a seco

- Queria mandar
  lavar /
  limpar estas peças.
- Só precisa de ser engomado.
- Estas nódoas saem?
- Pode tirar-me esta nódoa?
- É uma nódoa de
  café /
  vinho /
  gordura /
  chocolate.
- Isto está rasgado, pode mandar coser?
- Quando é que estará pronto?
- Preciso disso para…
- Volte às seis.
- Não podemos fazer isto antes de…
- Leva pelo menos dois dias.

Produtos de higiene

- Queria também um *aftershave*.
- Queria ainda
  uma pasta dentífrica /
  uma escova dos dentes /
  champô /
  lenços de papel /
  papel higiénico, por favor.
- Queria agora
  água-de-colónia /
  um perfume /
  um creme para a cara.
- Posso experimentar?
- Posso levar uma amostra?
- Que tipos de sabonete tem?
- Tem
  creme /
  óleo de bronzear?

Laundry and dry cleaning

- I'd like to send these items
  to be washed /
  to be cleaned.
- It only needs to be starched.
- Will these stains come out?
- Can you remove this stain for me?
- It's a
  coffee /
  wine /
  grease /
  chocolate stain.
- This is torn – can you mend it?
- When will it be ready?
- I need it for…
- Come back at six o'clock.
- We can't do this before…
- It will take at least two days.

Hygienic products

- I'd also like an aftershave.
- I'd like
  a toothpaste /
  a toothbrush /
  a bottle of shampoo /
  a box of tissues /
  a toilet roll, please.
- I'd like
  eau de Cologne /
  a perfume /
  some face cream.
- May I try it?
- May I take a sample?
- What type of soap do you have?
- Do you have
  sun tan lotion /
  sun tan oil?

GUIACIN © Porto Editora

Descrever / pedir um objeto p. 119

Na livraria / no quiosque

- Onde posso comprar
  um jornal /
  um caderno /
  um caderno de apontamentos /
  um caderninho de endereços /
  um mapa da cidade /
  um baralho de cartas /
  postais /
  envelopes /
  uma esferográfica /
  uma revista?

- Onde é a secção de guias de viagem?

- Tem um dicionário de inglês--português / português-inglês?

- Tem jornais portugueses?

- A que horas costumam chegar?

- Tem um mapa da cidade?

- Estão aqui assinalados todos os transportes públicos?

At the bookshop / news kiosk

→ Where can I buy
  a newspaper /
  a jotter /
  a notebook /
  an address book /
  a map of the city /
  a pack of cards /
  some postcards /
  envelopes /
  a ballpoint pen /
  a magazine?

→ Where are the guidebooks?

→ Do you have an English-Portuguese / Portuguese-English dictionary?

→ Do you have any Portuguese newspapers?

→ When / What time do they normally arrive?

→ Do you have a map of the city?

→ Are all the public transport networks marked on the map?

Na tabacaria

- Eu queria
  uma caixa de fósforos /
  um isqueiro /
  uma caixa de charutos /
  um charuto /
  uma cigarreira /
  uma boquilha /
  um maço de cigarros /
  um cachimbo /
  tabaco de mascar.

- Quero três postais.

- E também selos para o estrangeiro.

- Há algum marco do correio aqui perto?

- Queria um maço de cigarros com / sem filtro, por favor.

- Os mais suaves que tiver.

- Quanto custa um maço de...?

At the tobacconist's

→ I'd like
  a box of matches /
  a lighter /
  a packet of cigars /
  a cigar /
  a cigarette case /
  a cigarette holder /
  a packet of cigarettes /
  a pipe /
  chewing tobacco.

→ I'd like three postcards.

→ And stamps for abroad, too.

→ Is there a pillar-box nearby?

→ A packet of cigarettes with / without a filter tip, please.

→ The mildest ones you've got.

→ How much does a packet of... cost?

Na loja de fotografia / eletrónica

At the photographic / electronic equipment shop

GUIACIN © Porto Editora

- Queria um rolo para esta máquina.

→ I'd like a film for this camera.

- Tem
  um filme de oito milímetros /
  uma película a cores /
  uma película a preto e branco /
  um rolo de trinta e seis / um rolo
  de vinte e quatro fotografias?

→ Have you got
  an eight-millimetre film /
  a colour film /
  a black and white film
  a film of thirty-six / twenty-four
  photographs?

- Queria também
  lâmpadas *flash* /
  cubos *flash* /
  um cabo disparador /
  uma tampa para a objetiva /
  um estojo de máquina /
  um produto para limpar a objetiva /
  uma tampa de lente /
  um fotómetro /
  uma teleobjetiva /
  um tripé.

→ I'd also like
  some flashbulbs /
  some flash cubes /
  a shutter release button /
  a lens cap /
  a camera case /
  a lens cloth /
  a lens cover /
  a photometer /
  a telephoto lens /
  a tripod.

- Pode revelar este rolo?

→ Could you develop this film?

- Queria... exemplares de cada negativo.

→ I'd like... copies of each negative.

- Pode ampliar esta foto em tamanho triplo?

→ Could you enlarge this photo to three times the size?

- Quando estará pronta?

→ When will it be ready?

- Este aparelho não funciona. Pode mandá-lo reparar?

→ This apparatus isn't working. Could you repair it?

- O filme está preso.

→ The film is stuck.

- O botão não gira.

→ The button isn't winding on.

- Tenho problemas com
  a lente automática /
  o contador de imagens.

→ I've got some problems with
  the automatic lens /
  the frame counter.

- Preciso de... para a minha máquina / telemóvel

→ I need... for my appliance / phone.

Cidade

- Queria…
    …um cartão de memória.
    …uma bateria.
    …uma bolsa / estojo.
    …um adaptador de corrrente.
    …um computador portátil / um tablet.
    …uma pen USB.
    …uma caixa de CD.
    …auriculares.
    …colunas de som.

→ I'd like…
    … a memory card.
    … a battery.
    … a pouch / case.
    … a power adaptor.
    … a laptop / a tablet.
    … a USB stick.
    … a CD case.
    … earphones / headphones.
    … speakers.

- A minha máquina / o meu telemóvel não funciona.

→ My appliance / mobile phone isn't working.

No oculista

At the optician

- Preciso de comprar
    uns óculos /
    uns óculos de sol.

→ I need to buy a pair of
    glasses /
    sunglasses.

- A armação pode ser
    fina /
    leve /
    forte.

→ They can have a
    thin frame /
    light frame /
    strong frame.

- As lentes estão bem, mas a armação está muito apertada.

→ The lenses are fine but the frame is too tight.

- Gostaria de experimentar lentes de contacto.

→ I'd like to try contact lenses.

- Irritam os olhos?

→ Do they irritate the eyes?

- Durante quanto tempo posso usá-las?

→ For how long can I use them?

- É preciso um líquido especial?

→ Do I need any special liquid?

- Perdi uma lente. Pode substituí-la?

→ I've lost a lens. Can you replace it?

- Parti os óculos.

→ I've broken my glasses.

- Tem lentes de contacto diárias / mensais?

→ Do you have contact lenses for daily / monthly use?

GUIACIN © Porto Editora

Alimentos

- Dê-me
  um quilo /
  meio quilo de…, por favor.

- Cem gramas
  de rebuçados /
  bonbons, por favor.

- Uma garrafa de…

- A garrafa tem depósito?

- Queria
  um frasco /
  uma lata /
  um pacote /
  uma embalagem de…

- Vende alimentos congelados?

- Estes frutos estão muito
  rijos / moles.

- Estão maduros?

- Isto é fresco?

- Isto já não está bom.

- Isto já não é fresco.

- Queria um pão / um cacete,
  por favor.

- Quanto custa
  o quilo /
  a garrafa /
  a unidade?

Food

→ Please could I have
  a kilo /
  half a kilo of…

→ A hundred grams
  of sweets /
  of chocolates, please.

→ A bottle of…

→ Has it got a deposit?

→ I'd like
  a jar /
  a can /
  a packet /
  a package of…

→ Do you sell frozen food?

→ This fruit is very
  hard / soft.

→ Are they ripe?

→ Is it fresh?

→ This is not good.

→ This isn't fresh.

→ A bread roll / a loaf of bread, please.

→ How much is it
  a kilo /
  a bottle /
  a unit?

Instituições e serviços públicos

Institutions and public services

Polícia The police

♦ a ameaça	danger / threat	♦ o dinheiro	money
♦ ameaçar	to threaten	♦ a esquadra da polícia	police station
♦ o arrombamento	burglary	♦ o passaporte	passport
♦ o assalto / o roubo	assault / robbery	♦ a polícia	the police
♦ o bilhete de identidade	identity card (ID)	♦ o(a) polícia (agente)	policeman (policewoman)
♦ o cartão de crédito	credit card	♦ o roubo com esticão	pickpocketing
♦ a carteira	handbag / wallet	♦ roubar	to steal / rob
♦ a denúncia	report	♦ o rapto	kidnapping / abduction

A esquadra de polícia

The police station

- Onde fica a esquadra mais próxima? → Where's the closest police station?
- Quero apresentar queixa. → I want to lodge a complaint.
- O meu filho / filha desapareceu. → My son / daughter is missing.
- Assaltaram-me o carro. → My car was broken into.
- Roubaram-me o carro. → My car has been stolen.
- Fui perseguido(a) por um homem / uma mulher. → I was followed by a man / woman.
- Roubaram-me todos os documentos. → They stole all of my documents.
- Vou participar um furto. → I'm going to report a theft.
- Perdi todos os meus documentos / a carteira. → I've lost all my documents / my purse / wallet.
- Roubaram-me a bolsa / a mala. → They stole my bag / my suitcase.

Indicar quantidades, medidas e tamanhos p. 171 ▪ **Documentos** p. 24 ▪ **Formalidades** p. 25

- A bolsa continha
  o cartão de crédito /
  o bilhete de identidade /
  o livro de cheques.
→ It had
  my credit card /
  my identity card (ID) /
  my chequebook.

- Ameaçaram-me com
  uma pistola /
  uma faca /
  uma seringa.
→ I was threatened with
  a gun /
  a knife /
  a syringe.

- Roubaram-me o carro com toda a bagagem.
→ They stole my car with all my luggage.

- Estava estacionado na rua…
→ It was parked in… street.

- Tinha / Não tinha alarme.
→ It had / didn't have an alarm.

- Quantos impressos tenho de preencher?
→ How many forms do I have to fill in?

- Sou estrangeiro.
→ I'm a foreigner.

- Estou aqui de férias com a família.
→ I'm here on holiday with my family.

- O meu endereço aqui é…
→ My address here is…

- Onde devo assinar?
→ Where should I sign?

vocabulário

A religião Religion

• a abadia	abbey	• comungar	to receive Communion
• o altar / o altar-mor	altar / high altar	• a confissão / confessar-se / o confessionário	Confession / to confess / confessional
• o batistério	baptistery	• o convento	convent
• a basílica	basilica	• a conversão / converter-se	conversion / to convert
• a benção	blessing	• o coro	choir
• o campanário	belfry	• o crente / a crença	believer / belief
• a capela	chapel	• o crucifixo	crucifix
• o carrilhão	carillon	• a cruz	cross
• as catacumbas	catacombs	• a fé	faith
• a catedral	cathedral		
• o católico	Catholic		
• a cerimónia	ceremony		

• a fé católica	the Catholic faith
• o frade / o monge	friar / monk
• a hóstia	host
• o imã	imam
• o jejum / jejuar	fasting / to fast
• a mesquita	mosque
• a missa / missa cantada / fúnebre / solene	mass / high mass / requiem mass / solemn mass
• a oração	prayer
• a ordem religiosa	religious order
• o órgão	organ
• o padre / o pároco	priest / parish priest
• o pagode	pagoda / temple
• o papa	Pope
• o pastor	pastor

• o pecado	sin
• a penitência	penitence / penance
• a peregrinação	pilgrimage
• a pia de água benta	holy water font
• o protestante	Protestant
• o púlpito	pulpit
• o rabino	rabbi
• religioso	religious
• o rito religioso	religious rite
• sagrado	sacred
• a sinagoga	synagogue
• o sino	bell
• a torre da igreja	church tower
• o túmulo / a sepultura	tomb / grave
• a vela	candle

expressões

Serviços religiosos

- É esta a famosa igreja de…?
- É possível visitar a catedral?
- Qual é o horário das missas?
- Que rito seguem?
- De que século é a igreja / o campanário?
- A quem é dedicada esta basílica?
- Quantos degraus tem a torre da igreja?
- Esta é a relíquia de…
- Quem pintou os frescos das arcadas?
- Quem representa aquela estátua?

Religious services

- → Is this the famous church of…?
- → Is it possible to visit the cathedral?
- → When are the masses held?
- → What religion are you?
- → What century does the church / the belfry date from?
- → Which saint is this basilica dedicated to?
- → How many steps does the church tower have?
- → This is the relic of…
- → Who painted the frescos on the vaulting?
- → Who does that statue represent?

Banco **Bank**

1 o funcionário
bank clerk

2 a caixa
the teller

3 os impressos
the printed forms

4 o balcão
counter

vocabulário

Ao balcão At the counter

• o bancário	bank clerk
• o banco	bank
• o banqueiro	banker
• a caixa económica	savings bank
• o cheque	cheque
• a cobrança	charge
• o cofre-forte	safe
• a conta-corrente	current account
• creditar	to credit
• debitar	to debit
• o depósito	deposit
• o dinheiro	money
• o dinheiro em moedas	money in coins

• o dinheiro em notas	money in notes (RU) / bills (EUA)
• o dinheiro em numerário	money in cash
• guichet de informações	information desk
• isento de impostos	tax-free / duty-free
• o juro / os juros	interest
• a letra de câmbio	bill of exchange
• a nota	bank note
• o reembolso	refund
• o saldo	balance
• o saldo disponível	available balance

Algarismos e números p. 173 ▪ *A moeda* p. 172 ▪ **Pagamento e formas de pagamento** p. 122

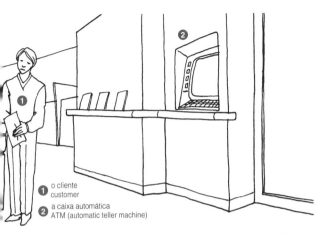

① o cliente
customer

② a caixa automática
ATM (automatic teller machine)

- o saldo negativo — negative balance
- o saldo positivo — positive balance
- a soma — quantity / amount
- a sucursal — branch
- a transferência bancária — bank transfer
- o *traveller's* cheque / o cheque de viagem — traveller's cheque
- a unidade monetária — currency
- o vale postal — postal order

Operações em máquinas automáticas

- introduza o seu cartão — insert your card
- aguarde um momento — wait a moment
- marque o seu código, por favor — enter your code, please
- o levantamento — withdrawal
- a quantia — amount
- a caixa multibanco ficou com o meu cartão — The ATM took my card

Withdrawals from ATMs

- perdi o cartão / o código — I've lost my card / the code
- preciso de um cartão novo — I need a new card
- a consulta do saldo — balance enquiry
- a consulta de movimentos — statement enquiry
- outras operações — other operations
- o câmbio — bureau de change
- retire o seu cartão — remove your card

GUIACIN © Porto Editora

expressões

Onde fica?

- Onde fica
  o banco /
  a casa de câmbios mais próxima?

- Qual é o horário de funcionamento?

- Onde é que posso trocar
  traveller's cheques?

Where is...?

- Where is
  the closest bank /
  the closest bureau de change?

- What are the working hours?

- Where can I exchange traveller's
  cheques?

Câmbio

- Qual é o câmbio oficial de...?

- A como está o...?

- Pretendo cambiar... em
  euros.

- Qual é o montante máximo que
  se pode cambiar?

- Pode dar-me algum dinheiro
  trocado?

Currency

- What's the official rate of
  exchange...?

- At how much is the...?

- I'd like to change... to...

- What's the largest sum of money
  one can exchange?

- Could you give me some small
  change?

Depósitos e levantamentos

- Sou estrangeiro, posso abrir
  uma conta?

- Queria abrir...
  ...uma conta ordenado.
  ...uma conta conjunta.
  ...uma conta estudante.

- Desejo sacar um cheque.

- A que balcão me devo dirigir?

- Posso endossar este cheque?

- É preciso apresentar algum
  documento de identidade?

Deposits and withdrawals

- I'm a foreign citizen – can I open an
  account?

- I'd like to open...
  ... a salary account.
  ... a joint account.
  ... a student account.

- I'd like to cash a cheque.

- Which service counter should I go
  to?

- May I pay in this cheque?

- Do you need some form of
  identification?

▪ Desejo o dinheiro em notas pequenas / em notas grandes, por favor.	→	I'd like the money in low-value bank notes / high-value bank notes.
▪ Onde devo assinar?	→	Where should I sign?
▪ Assine aqui, por favor.	→	Sign here, please.
▪ Agora dirija-se à caixa.	→	Please go to the cashier.
▪ Posso fazer estas operações *online*?	→	Can I do this online?

Correio, telefone e telecomunicações — Mail, telephone and telecommunications

vocabulário

A estação do correio The post office

◆ a assinatura	signature	◆ estrangeiro	abroad
◆ o aviso de receção	acknowledgement of receipt	◆ a fila (de pessoas)	queue (of people)
◆ a caixa do correio	postbox (RU) / mailbox (EUA)	◆ franquiar / selar	to frank / to stamp
◆ a caixa postal / o apartado	PO box	◆ o impresso / o formulário	document / form
◆ carimbar	to stamp	◆ o lançamento	posting
◆ o carimbo	rubber stamp / postmark	◆ o nome	the name
◆ a carta / a carta registada	letter / registered letter	◆ o número fiscal	tax number
◆ o carteiro	postman (RU) / mailman (EUA)	◆ o papel	paper
		◆ o peso	weight
◆ a cinta	tape	◆ o postal	postcard
◆ a cola	glue	◆ o recibo	receipt
◆ o conteúdo	contents	◆ o remetente	sender
◆ o correio expresso	express mail	◆ o selo	stamp
		◆ o sobrescrito	envelope
◆ a data / a hora de envio	date / time of dispatch	◆ a tarifa	price-list / rate
		◆ o telegrama	telegram
◆ o destinatário	addressee / recipient	◆ o texto	the text
		◆ urgente	urgent
◆ a encomenda postal / o pacote postal	parcel / package	◆ o vale postal	postal order
		◆ o valor declarado	declared value
◆ o endereço completo	full address	◆ por via aérea / de avião	air mail / by plane

GUIACIN © Porto Editora

Identificar-se, apresentar-se, apresentar alguém p. 153

expressões

Onde fica?

Where is...?

- Há alguma estação de correios aqui perto? → Is there a post office near here?

Informações

Information

- Quero mandar uma carta. → I'd like to send a letter.

- Onde é a caixa de correio mais próxima? → Where's the postbox (RU) / mailbox (EUA)?

- A que horas tiram a correspondência? → At what time are the letters collected?

- Onde me devo dirigir para comprar selos / mandar um telegrama? → Where should I go to buy stamps / send a telegram?

- Queria um selo para esta carta. → I'd like a stamp for this letter.

- Queria franquiar estes postais. → I'd like to frank these postcards.

- Qual é a tarifa das cartas para Portugal? → How much does it cost to send a letter to Portugal?

- Pode dar-me um impresso para vale postal? → Could you give me a form for a postal order?

- Quero enviar uma carta registada com aviso de receção. → I'd like to send a registered letter with acknowledgement of receipt.

- A que horas será entregue este telegrama? → What time will this telegram arrive?

- Quanto custa por palavra? → How much does it cost per word?

- Escreva o texto aqui e ponha o seu nome e morada. → Write the text here and put your name and address.

- Esta encomenda pesa… gramas. → This parcel weighs… grams.

- Quero expedi-la por via aérea. → I'd like to send it by air mail.

- Quero enviar esta encomenda com expresso. → I'd like to send this parcel by express post.

- Venho levantar uma carta / uma encomenda. → I've come to pick up a letter / a parcel.

- Recebi este aviso dos correios. → I've received this postage note.

Pedir uma informação / um objeto p. 158

Serviços telefónicos

Telephone services

- Posso utilizar o seu telefone? → May I use the telephone?

- Onde fica o telefone público mais próximo? → Where's the closest public telephone?

- Este telefone é de cartão ou de moedas? → Does this telephone take a card or coins?

- Não tenho moedas. → I haven't got any coins.

- Onde posso comprar um credifone? → Where can I buy a phone card?

- Pode arranjar-me uma lista telefónica? → Could you get me a telephone book / directory?

- Pode ajudar-me a telefonar para este número? → Could you help me dial this number?

- Qual é o indicativo de…? → What's the dialling code number to…?

- Pode ligar-me para o…? → Could you put me through to…?

- Pode dizer-me já o preço desta chamada? → Could you tell me the price of the call?

- Quanto custa o telefonema? → How much does the call cost?

- Quero que a chamada seja paga pelo destinatário. → I'd like the call to be paid by the receiver.

- A linha está interrompida. → The line's engaged.

- O telefone está avariado. → The telephone's out of order.

- Não é este o número. → This isn't the number.

- Enganou-se no número. → You've made a mistake in the number.

- Posso voltar a chamar mais tarde? → Can I call back later?

- Há uma chamada para si. → There's a call for you.

- Está…? → Hi / Hello…?

GUIACIN © Porto Editora

▪ Quero falar com…	**I'd like to talk to…, please.**
▪ Telefonista, cortaram-me a ligação.	**Operator, my line's been cut.**
▪ Posso ligar outra vez?	**May I call again?**
▪ Que número deseja?	**What number would you like?**
▪ Queria a extensão número…	**I'd like extension number…**
▪ Um momento, por favor.	**One moment, please.**
▪ Não consigo resposta.	**Nobody's picking up.**
▪ Não oiço bem.	**I can't hear very well.**
▪ Posso deixar uma mensagem?	**May I leave a message?**
▪ Pode dizer-lhe que telefonei?	**Could you tell him / her I phoned?**
▪ Peça-lhe que me telefone.	**Ask him / her to call me.**
▪ Quero pagar a chamada, por favor.	**I'd like to pay for the call, please.**

Natureza e desporto

Natureza e parques naturais

Nature and nature reserves

O parque The park

◆ a árvore	tree	◆ o lago	lake / pond
◆ o banco	bench	◆ o piquenique	picnic
◆ o circuito de manutenção	fitness circuit	◆ o regato	stream
◆ a fonte	fountain	◆ o rio	river
◆ o jardim	garden	◆ a sombra	shade

Animais e plantas Animals and plants

Animais domésticos Pets

◆ o boi	ox	◆ o ganso	goose
◆ o burro	donkey	◆ o gato	cat
◆ o canário	canary	◆ o *hamster*	hamster
◆ o cão	dog	◆ o papagaio	parrot
◆ o cavalo	horse	◆ o pato	duck
◆ a égua	mare	◆ o porco	pig
◆ a galinha	hen	◆ a tartaruga	tortoise
◆ o galo	cockerel	◆ a vaca	cow

O jardim zoológico The zoo

◆ a águia	eagle	◆ o leão	lion
◆ o chimpanzé	chimpanzee	◆ o leopardo	leopard
◆ o crocodilo	crocodile	◆ o macaco	monkey
◆ o elefante	elephant	◆ a raposa	fox
◆ a foca	seal	◆ o rinoceronte	rhinoceros
◆ a girafa	giraffe	◆ a serpente	snake
◆ o gorila	gorilla	◆ o tigre	tiger
◆ a hiena	hyena	◆ o urso	bear
◆ o hipopótamo	hippopotamus	◆ a zebra	zebra

A feira p. 112 ▪ **Pedir informações sobre locais, preços e horários** p. 112 ▪ **Compra dos bilhetes** p. 113

As plantas Plants

• o cato	cactus	• o junquilho	jonquil
• o canteiro	flowerbed	• o lírio	lily
• o cravo	carnation	• a margarida	daisy
• a dália	dahlia	• a orquídea	orchid
• a flor	flower	• a papoila	poppy
• o gerânio	geranium	• o ramo de flores	bunch of flowers
• o gladíolo	gladiolus	• a rosa	rose
• o jacinto	hyacinth	• a túlipa	tulip
• o jasmim	jasmine	• a violeta	violet

expressões

▪ É proibida a entrada de animais.	—	Animals are not allowed.
▪ É proibido dar de comer aos animais.	—	You're not allowed to feed the animals.

Praia, campo e montanha

The beach, the countryside and the mountains

vocabulário

A praia The beach

• água funda / pouco funda / límpida	deep water / shallow water / clear water	• o fato de banho	swimsuit
		• a gaivota (embarcação com pedais)	pedal boat
• as algas	seaweed		
• a areia	sand	• o mar	sea
• o balde	bucket	• a máscara de mergulho	diving mask / goggles
• o banheiro	bather		
• as barbatanas	flippers	• mergulhar	to dive
• a bola de praia	beach ball	• nadar	to swim
• a boia	buoy	• o oceano	ocean
• o bronzeador	suntan lotion	• a pá	spade
• a concha	shell	• o papagaio	kite
• a duna	sandhill / sand dune	• o protetor / creme solar	suncream / suntan lotion

Parque de campismo p. 72

GUIA/IN © Porto Editora

• a raqueta de pingue-pongue / de badminton	table tennis bats / badminton raquets	• o tubo de respiração para a pesca submarina	snorkel
• o seixo	pebble	• o vestiário	dressing room
• a toalha de praia	beach towel		

O campo The countryside

• a árvore	tree	• o moinho de vento	windmill
• o caminho	path	• a nascente	spring
• o campo	countryside / a meadow	• o pântano	swamp
• a cascata	waterfall	• a pista	track
• o celeiro	barn	• o poço	well
• o estuário	estuary	• a ponte	bridge
• a floresta	forest	• a queda de água	waterfall
• a fonte	fountain	• a quinta	farm
• a foz	mouth of a river	• o ribeiro	stream
• o lago	lake	• o rio	river
• o lodaçal	bog	• a ruína	ruins
• a margem	shore	• a torre	tower
• a mata	wood(s)	• o vale	valley

A montanha The mountains

• o abrigo	shelter	• escalar	to climb up
• o alpinismo	mountain climbing	• o esqui	skiing
• a altitude	altitude	• a mochila	rucksack
• a avalancha	avalanche	• o monte	hill
• o bastão de esqui	ski pole	• a neve	snow
• a bota de esqui	ski boot	• o penhasco	crag
		• o pico / o cume	peak / summit
• a colina	hillock	• o rochedo	the rock
• o desfiladeiro	ravine / gorge	• a serra	ridge of mountains / mountain range

As estações do ano p. 168 ▪ *O tempo atmosférico* p. 157

expressões

- Pode-se nadar aqui sem perigo? → Is it safe to swim here?

- Há aqui um bote salva-vidas? → Is there a life raft?

- Não sei nadar muito bem. → I can't swim very well.

- Prefiro usar um colete de salvação. → I prefer to use a life jacket.

- Não há perigo para as crianças? → Is there any danger for children?

- O mar está muito calmo / agitado. → The sea is very calm / rough.

- Há ondas grandes. → The waves are enormous.

- A que horas é a maré alta / baixa? → At what time is the high / low tide?

- Qual é a temperatura da água? → What's the temperature of the water?

- A areia queima. → The sand is scorching hot.

- Cuidado com as queimaduras! → Be careful not to get burnt!

- O sol está muito quente, vou para a sombra. → The sun's very hot; I prefer the shade.

- Vamos passear à beira-mar. → Let's go for a walk by the sea.

- Queria alugar uma barraca / uma cadeira de encosto / um guarda-sol / um equipamento de mergulho / um colchão pneumático / uma prancha / esquis aquáticos. → I'd like to rent a tent / a deck-chair / a sunshade / some diving equipment / a blow-up mattress / a surfboard / water skis.

- Onde posso alugar um barco pneumático / um barco a remos / uma gaivota / uma mota de água? → Where can I rent an inflatable dinghy / a rowboat / a pedalo / a jet ski?

GUIACIN © Porto Editora

Qual é o preço por hora?	How much is it per hour?
Como se chama este rio?	What's the river called?
Pode-se nadar no lago / no rio?	Can we swim in the lake / in the river?
Existe uma área para fazer ginástica?	Is there a gym?
Aqui pode-se fazer piqueniques?	Can we have a picnic here?
Esta praia / este rio / este lago é vigiado?	Are there lifeguards on this beach / river / lake?
Gostaria de fazer um curso… …de mergulho. …de surf. …de vela.	I'd like to do a… … diving course. … surfing course. … sailing course.
Pode-se beber desta água?	Can we drink this water?
Este é um bom lugar para pescar?	Is this a good fishing area?
Nevou toda a noite.	It snowed all night.
Sei esquiar muito bem.	I'm very good at skiing.
Não sei esquiar.	I don't know how to ski.
Gostaria de ter lições de esqui.	I'd like to have some skiing lessons.
Onde é a escola de esqui?	Where is the skiing school?
Quantas aulas devo ter?	How many lessons should I have?
Conseguirei aprender numa semana?	Will I be able to learn in a week?
Preferia um instrutor só para mim.	I'd prefer a private instructor.
Quanto custa por dia?	How much is it per day?
Aluga também esquis e botas?	Do you also rent skis and boots?
É preciso subir por telecadeira?	Do we have to go up on the chairlift?
Para onde vai este teleférico?	Where does this cable car go to?

▪ A que horas é a última descida?	→	At what time is the last descent?
▪ Onde é que posso encontrar um guia de montanha?	→	Where can I find a mountain guide?
▪ Que altitude tem esta montanha?	→	What's the height of this mountain?
▪ É muito difícil a subida?	→	Is it difficult to climb?
▪ Posso ir lá acima?	→	Can I go up there?
▪ Quanto falta para o cume?	→	How far is it to the top?
▪ Regressaremos antes do anoitecer?	→	Are we going to get there before nightfall?
▪ Aonde vai dar este caminho?	→	Where does this path take us?
▪ As botas magoam-me.	→	My boots are hurting my feet.
▪ A mochila pesa muito.	→	The rucksack weighs a lot.
▪ Há algum abrigo onde possamos passar a noite?	→	Is there any shelter where we could spend the night?

Desportos Sports

vocabulário

◆ o árbitro	referee	◆ ganhar	to win
◆ o atleta	athlete	◆ o ginásio	gymnasium
◆ a baliza	goal	◆ o guarda-redes	goalkeeper
◆ a bancada	spectators' stand	◆ o jogador	player
◆ a bola	ball	◆ o jogador de futebol	the footballer
◆ o desafio	match	◆ perder	to lose
◆ a equipa	team	◆ o remate	shot
◆ o estádio	stadium	◆ o treinador	coach

GUIACIN © Porto Editora

GUIA.CN © Porto Editora

expressões

- Hoje há algum jogo de futebol / de basquetebol / de andebol? → **Is there a football / basketball / handball match today?**

- Pode arranjar-me um bilhete? → **Could you get me a ticket?**

- Onde fica o campo de golfe / o campo de ténis / o centro hípico mais próximo? → **Where is the closest golf course / tennis court / riding centre?**

- Qual é o preço da entrada? → **How much is the entrance fee?**

- Posso alugar uma bicicleta / uma BTT? → **Can I rent a bicycle / a mountain bike?**

- Qual é o preço para uma hora / um dia? → **How much is it per hour / per day?**

- Há alguma piscina aqui perto? → **Is there a swimming pool nearby?**

- Existe uma via para ciclistas / corredores? → **Is there a cycling / running track?**

- É uma piscina ao ar livre / coberta / aquecida? → **Is it an outdoor / an indoor / a heated swimming pool?**

- Tenho de usar touca? → **Do I have to wear a swimming cap?**

- Quer jogar cartas / xadrez / damas? → **Would you like to play cards / chess / draughts?**

- Amanhã, gostaria de ir à caça. → **I'd like to go hunting tomorrow.**

- Pode-se caçar nesta região? → **Is hunting allowed in this area?**

Indicar momentos e lugares p. 165

Referência rápida

GUIACIN © Porto Editora

Chamar ou interpelar alguém

Getting someone's attention

`expressões`

- Desculpe,
  senhor… /
  senhora…

→ Excuse me,
  sir /
  madam /
  miss…!

- Por favor, pode ajudar-me?

→ Could you please help me?

- Olhe, por favor!

→ Waiter / Waitress, please!

- Táxi!

→ Taxi!

Saudações e agradecimentos

Greeting people

`expressões`

- Bem-vindo! / Bem-vinda! /
  Bem-vindos!

→ Welcome!

- Bom dia / Boa tarde
  senhor /
  senhora /
  menina /
  senhores /
  senhoras!

→ Good morning / Good afternoon,
  sir /
  madam /
  miss /
  gentlemen /
  ladies!

- Desejo-lhe
  um bom dia /
  uma boa tarde.

→ Have
  a nice day /
  a pleasant afternoon.

- Boa noite! (após o entardecer).

→ Good evening.

- Boa noite! (antes de ir dormir)

→ Good night.

- Durma bem!

→ Sleep well.

- Bons sonhos!

→ Sweet dreams!

- Olá!

→ Hi! / Hello!

- Como está? / Como estás?

→ How are you? /
  How do you do? (formal)

- Bem, obrigado.

→ Fine, thanks.

- E você / vocês?

→ And you?

- Fez / Fizeram boa viagem?

→ Did you have a nice trip?

- Parabéns!

→ Congratulations!

eferência rápida

▪ Boas-festas! / Feliz Natal!	—	**Merry Christmas!**
▪ Feliz Ano Novo!	—	**Happy New Year!**
▪ Páscoa feliz!	—	**Happy Easter!**
▪ À saúde!	—	**Cheers!**
▪ Santinho!	—	**Bless you!**
▪ Os meus cumprimentos à sua mulher / ao seu marido!	—	**Give my best wishes to your wife / to your husband.**
▪ Sentidas condolências!	—	**Please accept my condolences.**
▪ Até à vista! / Até breve!	—	**Until next time! / See you soon!**
▪ Cumprimentos à sua família!	—	**Give my best wishes to your family.**
▪ Adeus.	—	**Goodbye.**
▪ Boa viagem.	—	**Bon voyage / Have a good journey.**
▪ Boa sorte.	—	**Good luck.**
▪ Boas férias!	—	**Have a good holiday!**
▪ Até logo.	—	**See you later.**
▪ Diverte-te.	—	**Have fun.**
▪ Obrigado / muito obrigado.	—	**Thank you / Thank you very much.**
▪ Obrigado pela tua ajuda.	—	**Thank you for your help.**
▪ É muito amável da sua parte.	—	**That's really kind of you.**
▪ De nada / não tem de quê.	—	**Not at all / don't mention it.**

Identificar-se, apresentar-se, apresentar alguém	**Identifying yourself, introducing yourself, introducing someone else**

`expressões`

▪ Posso apresentar-me? Sou…	—	**May I introduce myself? I'm…**
▪ Apresento-lhe o senhor… / a senhora… a menina…	—	**Meet Mr… / Mrs… / Miss…**
▪ Apresento-lhe a minha mulher… / o meu marido…	—	**Meet my wife… / my husband…**
▪ Muito prazer em conhecê-lo.	—	**Pleased to meet you.**

GUIACIN © Porto Editora

GUIACIN © Porto Editora

▪ Qual é o seu / teu nome?	**What's your name?**
▪ Que idade tem / tens?	**How old are you?**
▪ Tenho… anos.	**I'm… years old.**
▪ Mora aqui perto? / Moras aqui perto?	**Do you live near here?**
▪ Sim, moro na rua / avenida…	**Yes, I live in… street / avenue.**
▪ Não, não moro aqui. Moro em…	**No, I don't live here. I'm from…**
▪ Como te chamas / se chama?	**What's your name?**
▪ Chamo-me… / O meu nome é…	**I'm called… / My name is…**
▪ És daqui?	**Are you from here?**
▪ De onde é(s)?	**Where are you from?**
▪ Sou de Portugal / do Brasil / de Angola / Moçambique	**I'm from Portugal / Brazil / Angola / Mozambique**
▪ Está(s) a estudar / trabalhar cá?	**Are you studying / working here?**

Graus de parentesco Family relations

vocabulário

◆ a afilhada	goddaughter		◆ a madrasta	stepmother
◆ o afilhado	godson		◆ a madrinha	godmother
◆ a avó	grandmother		◆ a mãe	mother / mummy / mum
◆ o avô	grandfather			
◆ a cunhada	sister-in-law		◆ a esposa	wife
◆ o cunhado	brother-in-law		◆ a neta	granddaughter
◆ a filha	daughter		◆ o neto	grandson
◆ o filho	son		◆ os netos	grandchildren
◆ o filho mais novo	youngest son		◆ a noiva	bride
◆ o filho mais velho	eldest son		◆ o noivo	bridegroom
			◆ a nora	daughter-in-law
◆ os filhos	children		◆ o padrasto	stepfather
◆ o genro	son-in-law		◆ o padrinho	godfather
◆ o marido	husband		◆ o pai	father / daddy / dad
◆ a irmã	sister		◆ os pais	parents
◆ o irmão	brother		◆ a prima	cousin

Fazer um convite p. 160

◆ o primo	cousin		◆ o tio	uncle
◆ o primogénito	firstborn		◆ a solteira	single woman
◆ a sobrinha	niece		◆ o solteiro	single man
◆ o sobrinho	nephew		◆ o parentesco	kinship / relationship
◆ a sogra	mother-in-law		◆ o grau de	the degree of
◆ o sogro	father-in-law		parentesco	consanguinity
◆ a tia	aunt			

expressões

▪ Sou solteiro(a) / casado(a) / divorciado(a) / viúvo(a).	→	I'm single / married / divorced / a widower (widow).
▪ Somos casados há cinco anos.	→	We've been married for five years.
▪ Festejámos as bodas de prata / de ouro.	→	We're celebrating our silver / golden wedding anniversary.
▪ Estamos separados há dois anos.	→	We've been separated for two years.
▪ Pedimos o divórcio.	→	We're getting divorced.
▪ Casamos daqui a um mês.	→	We're getting married in a month's time.
▪ Há uma semana, a minha mulher deu à luz um bebé.	→	My wife gave birth to a baby a week ago.
▪ Temos três filhos.	→	We've got three children.
▪ Ainda não temos filhos.	→	We don't have any children yet.
▪ Queremos adotar uma criança.	→	We'd like to adopt a child.

a adoção	adoption		a herança	inheritance
adotar	to adopt		o herdeiro	heir(ess)
o casamento	marriage		a juventude	youth
casar	to marry		o maior de idade	(to be) of legal age
criar	to bring up / raise		o menor de idade	underage / minor
educar	to educate			
divorciar-se	to get divorced		separar-se	to separate
o divórcio	divorce		a velhice	old age

GUIACIN © Porto Editora

Profissões Professions

expressões

- Qual é a sua profissão? → What's your job? / What do you do? (formal)

- Sou... → I'm a... / an...

advogado(a)	lawyer	estudante	student
agricultor	farmer	fotógrafo(a)	photographer
cientista	scientist	jornalista	journalist
bombeiro	fireman	juiz / juíza	judge
comerciante	tradesman	mecânico(a)	mechanic
cozinheiro(a)	cook	médico(a)	doctor
dentista	dentist	taxista	taxi driver
empregado(a) de café	waiter (waitress)	operário	labourer
empresário(a)	businessman	padeiro	baker
enfermeiro(a)	nurse	piloto	pilot
engenheiro(a)	engineer	polícia	police officer
		professor(a)	teacher

Descrever algo, alguém, um local

Describing someone, something, a place

vocabulário

É... / Parece   It's... / It looks...

◆ grande / pequeno	big / small	◆ certo / errado	right / wrong
◆ alto / baixo	high / low	◆ rápido / lento	fast / slow
◆ gordo / magro	fat / thin	◆ pesado / leve	heavy / light
◆ bonito / feio	beautiful / ugly	◆ quente	hot
◆ jovem / idoso	young / old	◆ frio / fresco	cold
◆ simpático / antipático	friendly / unfriendly	◆ perto / próximo	nearby / close
◆ novo / velho	new / old	◆ longe / afastado	far away / remote
◆ bom / mau	good / bad	◆ aberto / fechado	open / closed
◆ melhor / pior	better / worse	◆ cedo / precoce	early
◆ fácil / difícil	easy / difficult	◆ tarde	late
		◆ barato / caro	cheap / expensive

Fazer um convite p. 160

GUIA CN © Porto Editora

Cores, formas Colours, shapes

É... / Parece It's...

• amarelo	yellow	• cor de vinho	wine-coloured
• azul	blue	• dourado	golden
• azul-celeste	azure/sky-blue	• lilás	lilac
• azul-claro	light blue	• prateado	silver-coloured
• azul-escuro	dark blue	• preto / negro	black
• azul-marinho	navy blue	• púrpura	purple
• bege	beige	• roxo / violeta	violet
• branco	white	• verde	green
• brilhante	bright / shining	• vermelho	red
• carmim	magenta	• retangular	rectangular
• castanho	brown	• quadrado	square
• cinzento	grey	• triangular	triangular
• cor de laranja	orange	• redondo	round
• cor de rosa	pink	• oval	oval

expressões

O tempo atmosférico		**The weather**
▪ Como está o tempo?	←	What's the weather like?
▪ Hoje está bom tempo.	←	The weather's fine today.
▪ Está calor / quente.	←	It's hot.
▪ O ar está muito húmido.	←	The air is very humid.
▪ Ontem choveu.	←	It rained yesterday.
▪ Esperemos que deixe de chover.	←	Let's hope it stops raining.
▪ Está muito vento / frio.	←	It's very windy / cold.
▪ Está tudo gelado.	←	Everything's frozen.
▪ Nevou durante toda a noite.	←	It snowed the whole night.
▪ O tempo está a melhorar / piorar.	←	The weather is getting worse / better.
▪ O céu está nublado.	←	The sky is cloudy.
▪ Olhe, um arco-íris!	←	Look, a rainbow!
▪ É uma estação agradável / desagradável.	←	It's a pleasant / unpleasant season.
▪ Vai ser um verão (muito) quente / chuvoso.	←	It's going to be a (very) hot / rainy summer.
▪ A primavera foi húmida.	←	It was a humid spring
▪ O outono foi seco.	←	It was a dry autumn.
▪ É a estação das chuvas.	←	It's the rainy season.

GUIACIN © Porto Editora

Exprimir agrado / desagrado (reclamar) p. 161 157

GUIACIN © Porto Editora

Interrogar alguém sobre alguma coisa   Asking questions

expressões

- Fala português?   →   **Do you speak Portuguese?**
- Sim, falo português.   →   **Yes, I do speak Portuguese.**
- Infelizmente não. Não falo português / inglês   →   **No / I'm sorry, I don't speak Portuguese / English.**
- Pode explicar-me…?   →   **Could you explain… to me?**
- Um momento, vou ver se está no livro.   →   **Just a moment, I'm going to look it up.**
- É…?   →   **Is it…?**
- Há…?   →   **Is there…? Are there…?**

Fazer-se entender   Making yourself understood

- Não o compreendo.   →   **I don't understand.**
- Como (disse)?   →   **What did you say?**
- Podia repetir, por favor?   →   **Could you repeat that, please?**
- Podia falar mais devagar, por favor?   →   **Could you speak more slowly, please?**
- Não falo muito bem Inglês.   →   **I don't speak English very well.**
- Podia escrever isso, por favor?   →   **Please could you write that down?**
- O que é que isso quer dizer?   →   **What does that mean?**
- Podia traduzir-me isto?   →   **Could you translate this for me?**
- Pode fazer um desenho / esquema?   →   **Could you do a drawing / sketch?**

Pedir uma informação / um objeto   Asking for information / an object

- Quanto custa?   →   **How much does it cost?**
- O troco não está certo.   →   **I don't have the exact change.**
- Pode dar-me…?   →   **Could you give me…?**
- Pode dar-nos…?   →   **Could you give us…?**

Quem? Indicar alguém p. 160 ▪ *Fazer um convite* p. 160

▪ Pode mostrar-me / dizer-me / indicar-me…?	→	Could you show me / tell me / point out…?
▪ Queria… / Queríamos isto / aquilo / outro.	→	I'd / We'd like this one / that one / another one.
▪ Por favor, dê-me…	→	Please give me…
▪ Traga-mo(a).	→	Bring it to me.
▪ Envie-mo(a).	→	Send it to me.
▪ Onde é…? / Onde fica?	→	Where is…?
▪ É aqui.	→	It's here.
▪ Não é aqui.	→	It's not here.
▪ Que horas são?	→	What time is it?
▪ A que horas é?	→	What time does it take place?
▪ Tem…?	→	Have you got…?
▪ Tenho, sim.	→	Yes, I have.
▪ Não tenho.	→	No, I haven't.
▪ Não há.	→	There isn't (sing.) / aren't (pl.)…
▪ Quando chega / volta a haver?	→	When will you arrive / return?

Pedir ajuda

Asking for help

▪ Pode ajudar-me, por favor?	→	Could you please help me?
▪ Não encontro… É possível indicar-me o caminho?	→	I can't find… Could you possibly show me the way?
▪ A quem devo dirigir-me para obter estas informações?	→	Who should I ask for this information?
▪ Quem poderia ajudar-me?	→	Who could help me?
▪ Como funciona?	→	How does it work?

Pedir autorização

Asking for permission

▪ Posso entrar / passar?	→	May I come in / go through here?
▪ Podemos tirar fotografias?	→	May we take photographs?
▪ É possível…?	→	Is it possible…?
▪ Será que isto é permitido?	→	Will this be allowed?

Identificar-se, apresentar-se, apresentar alguém p. 153

Quem? Indicar alguém

- Quem é? → Who is it?
- É... → It's...
- Quem é o(a) senhor(a)? → What is your name?
- Sou... / Chamo-me... → I'm... / My name is...
- Quem é
  o responsável /
  o gerente? → Who's
  in charge /
  the manager?
- Com quem devo falar? → Whom should I talk to?
- Não sei com quem poderá falar. → I don't know whom you could talk to.

Who? Indicating someone

Fazer um convite

- Podemos sair no fim de semana? → Do you want to go out at the weekend?
- Quer(es) vir
  à minha festa /
  ao cinema /
  dançar? → Do you want to go
  to my party /
  to the cinema /
  dancing?
- Gostaria de o/a/te convidar para
  jantar /
  almoçar /
  tomar café /
  tomar uma bebida → I'd like to ask you
  to dinner /
  to lunch /
  for a coffee /
  for a drink
- Queres namorar comigo? → Do you want to go out with me?
- Combinamos um novo encontro? → Shall we meet again?

Inviting someone

O quê? Indicar algo

- O que é isto? → What is this?
- É / são... → It's / They're...
- O que é que isto /
  aquilo representa? → What does this / that
  stand for / represent?
- Não sei o que é. → I don't know what it is.
- Está a ver aquilo ali? → Can you see that over there?
- Aquilo
  ao fundo /
  por baixo de /
  por cima de... → That
  at the back /
  under /
  on top of...
- Pode mostrar-me esse objeto, por favor? → Could you please show me that object?
- De que material é feito? → What is it made of?

What? Indicating something

Exprimir ideias e sentimentos

Expressing ideas and feelings

`expressões`

Exprimir a afirmação e a negação

Affirmation and negation

- Sim. → Yes.
- Com certeza / certamente. → Of course / certainly.
- Com efeito… → In fact / As a matter of fact…
- Com toda a certeza! → Absolutely!
- Exato! / Precisamente! → Exactly! / Precisely!
- Não. → No.
- Também não. → No again.
- Ainda não. → Not yet.
- De modo nenhum. → By no means / on no account.
- Nada. → Nothing.
- Nunca. → Never.
- Nenhum(a). → None.
- Já não. → No longer.
- Ninguém. → Nobody.

Exprimir agrado / desagrado (reclamar)

Expressing satisfaction / disapproval (complaining)

- Gosto muito disso. → I like it very much.
- Gosto, mas prefiro… → I like it, but I prefer…
- É
  agradável / desagradável/ bom / simpático / aborrecido.
  → It's
  pleasant / unpleasant / good / nice / boring.
- Não gostei nada. → I didn't like it at all.
- Não aprecio esse género de coisas. → I don't appreciate those kinds of things.
- Detesto. → I hate it.
- É inadmissível. → It's unacceptable.
- Quero reclamar. → I'd like to complain.
- Quero apresentar queixa. → I'd like to lodge a complaint.
- Não tolero isso! → I won't stand for that.

Identificar-se, apresentar-se, apresentar alguém p. 153

Exprimir a certeza e a dúvida

Certainty and doubt

- Estou certo disso. → I'm sure about that.
- Tenho a certeza. → I'm sure.
- Aparentemente. → Apparently.
- Supondo que… → Supposing that…
- Se isso acontecesse,… → If that happened…
- Exceto se… → Except if / only if…
- E se…? → And if…?
- Certamente. → Certainly.
- Penso que sim / não. → I think so / I don't think so.
- Não sei. → I don't know.
- Não faço ideia. → I've no idea.
- É provável. → Probably.

Exprimir a possibilidade e a impossibilidade

Possibility and impossibility

- É
  possível /
  impossível. → It's
  possible / likely
  impossible / unlikely.
- É possível que isso aconteça. → It may happen.
- Não acredito que isso aconteça. → I don't believe that this will happen.
- E se acontecesse? → And if it happened?
- É pouco provável. → It's unlikely.
- É perfeitamente possível. → It's perfectly possible.
- Como é que isso pode acontecer? → How could that have happened?
- Como é que isso é possível? → How is that possible?
- Por vezes, acontece. → It sometimes happens.
- Nunca aconteceu antes. → It's never happened before.

GUIALIN © Porto Editora

Exprimir uma intenção

- Prefiro ser acompanhado por um guia para conhecer melhor a cidade.
- Não vou levar a carteira.
- para... / ... a fim de...
- para que... / ... a fim de que...
- com medo de / receio de...
- para que não...

Expressing a purpose

- I prefer to be accompanied by a guide to get to know the city better.
- I'm not going to take my wallet / handbag with me.
- to... / so that...
- in order to... / with the aim of...
- in fear of...
- in order to avoid...

Exprimir indefinição

- Talvez...
- Não tenho a certeza.
- Será que...?
- Preciso de pensar.
- E se fosse...?
- Não sei o que fazer.
- Não sei quem me poderá ajudar.
- Não sei onde encontrar...
- Não sei o que escolher.

Expressing uncertainty

- Maybe / Perhaps...
- I'm not sure.
- I wonder if...?
- I need to think about it.
- And if it were...?
- I don't know what to do.
- I don't know who'd be able to help me.
- I don't know where to find...
- I don't know which one / ones to choose.

Pedir desculpas

- Desculpe / Desculpa.
- Sinto muito.
- Desculpe o atraso.
- Não foi isso que eu quis dizer.
- Não era minha intenção.
- Lamento imenso.
- Não faz mal.
- Não importa.

Apologising

- Sorry.
- I'm very sorry.
- Sorry for the delay.
- That wasn't what I wanted to say.
- That wasn't my intention.
- I really regret it.
- No harm done.
- It doesn't matter.

Fazer um convite p. 160

GUIA CN © Porto Editora

Exprimir relações lógicas   Useful phrases for building sentences

vocabulário

Exprimir a comparação Drawing comparisons

◆ … como…	like		◆ o(a) mais barato(a)	the cheapest
◆ o(s) mesmo(s) / a(s) mesma(s)	the same		◆ o(a) menos barato	the most expensive
◆ tal como	such as		◆ de preferência	preferably
◆ mais… que	more… than		◆ cada vez mais / menos	more and more / less and less
◆ menos… que	less… than			
◆ tão… como	as… as		◆ ainda por cima	in addition
◆ muito	a lot / much		◆ também	also / too
◆ ainda mais	even more		◆ também não	neither / also not

expressões

Exprimir a causa

Expressing cause and effect

- Já que não tem mais quartos, vou procurar outro hotel. → As you don't have any more rooms, I'll look for another hotel.
- Porquê…? → Why…?
- Porque… → Because…
- Como / visto que / uma vez que… → As… / Since / Seeing that…
- Por causa de… → Because of…
- Graças a… → Thanks to…

Exprimir uma condição

Expressing conditionality

- Se quiser, podemos chamar um táxi. → We'll call a taxi if you'd like.
- Só se preferir esperar mais um pouco. → Only if you'd prefer to wait a little longer.
- Se… → If…
- Se…, então… → If…, then…
- Se quiser… → If you'd like…
- Com a condição de / sob a condição de… → On condition that…
- Desde que… → Since…
- A menos que… / só se… → Unless / Only if…

Exprimir oposição

- Gostámos desta visita ao museu, mas preferimos o programa de ontem.
- ..., mas...
- No entanto...
- Contudo...
- Todavia...
- Mesmo assim...
- Embora...
- Apesar de...

Expressing opposition

→ We liked this visit to the museum but yesterday's itinerary was better.

→ ..., but...
→ Nevertheless...
→ However...
→ Notwithstanding...
→ Even so...
→ Though / Although...
→ In spite of... / despite...

Exprimir uma consequência

- É tão interessante que voltarei.
- ... portanto...
- ... por conseguinte...
- ... por isso... / é por isso que...
- ... de modo a...
- ... tão... que... / tanto... que...

Expressing consequences

→ It's so interesting that I'll come back again.

→ ... therefore...
→ ... as a result...
→ ... that's why...
→ ... so as to...
→ ... so... that...

Indicar momentos e lugares Giving times and places

vocabulário

O tempo cronológico, a data Times and dates

◆ Quando?	When?	◆ a tarde	afternoon
◆ durante a manhã	this morning	◆ a noite	night
◆ durante a tarde	this afternoon	◆ a aurora	daybreak
◆ o dia	day	◆ o nascer do Sol	sunrise
◆ o horário de trabalho	working hours	◆ a madrugada	dawn
		◆ o entardecer	nightfall

Referência rápida

GUIACIN © Porto Editora

◆ o pôr do Sol	sunset
◆ ontem	yesterday
◆ hoje	today
◆ amanhã	tomorrow
◆ a véspera	eve / the day before
◆ o dia seguinte	the following day
◆ há três dias	three days ago
◆ depois de amanhã	the day after tomorrow
◆ dentro de três dias	within three days
◆ o dia de folga	day off
◆ o dia feriado	public holiday
◆ o fim de semana	weekend
◆ a semana	week
◆ a semana passada	last week
◆ na próxima semana	next week
◆ daqui a duas semanas	in two weeks / two weeks from now
◆ o mês de…	the month of…
◆ o mês passado	last month
◆ o próximo mês	next month
◆ dentro de seis meses	within six months
◆ em meados de setembro	in mid-September
◆ desde outubro	since October
◆ durante o mês de dezembro	during the month of December
◆ a sete de janeiro	the seventh of January
◆ a hora	hour / time

◆ o minuto	minute
◆ o segundo	second
◆ meia-hora	half an hour
◆ quarto de hora	quarter of an hour
◆ meio-dia	midday
◆ meia-noite	midnight
◆ cedo	early
◆ tarde	late
◆ a horas / a tempo	on time

os dias da semana the days of the week

segunda-feira	Monday
terça-feira	Tuesday
quarta-feira	Wednesday
quinta-feira	Thursday
sexta-feira	Friday
sábado	Saturday
domingo	Sunday

os meses the months

janeiro	January
fevereiro	February
março	March
abril	April
maio	May
junho	June
julho	July
agosto	August
setembro	September
outubro	October
novembro	November
dezembro	December

GUIACIN © Porto Editora

R
Referência rápida

expressões

▪ Que dia é hoje?	→ What day is it today?
▪ Hoje é dia 22 de janeiro de 2015.	→ Today is 22 (twenty-second) of January 2015 (twenty-fifteen)
▪ Hoje é domingo.	→ Today's Sunday.
▪ Que horas são?	→ What time is it? / What's the time?
▪ Pode dizer-me as horas, por favor?	→ Would you please tell me the time?

▪ É... / São...
   uma hora /
   duas horas /
   três e dez /
   três e um quarto /
   três e meia /
   quatro menos um quarto /
   quatro menos dez /
   cinco horas em ponto /
   seis da tarde.

→ It's...
   one o'clock /
   two o'clock /
   ten past three /
   quarter past three /
   twenty past three /
   quarter to four /
   ten to four /
   exactly five o'clock, five on the dot /
   six in the afternoon.

▪ Faltam dez minutos para as sete.	→ It's ten to seven.
▪ Falta muito para as nove?	→ How long until nine o'clock?
▪ Três quartos de hora.	→ Three quarters of an hour.
▪ Daqui a meia hora é meio-dia.	→ It'll be midday in half an hour's time.
▪ O meu relógio parou.	→ My watch has stopped.
▪ O meu relógio não funciona.	→ My watch isn't working.
▪ O meu relógio está adiantado.	→ My watch is fast.
▪ O meu relógio está atrasado cinco minutos.	→ My watch is five minutes slow.
▪ Estou atrasado.	→ I'm late.
▪ Estou adiantado.	→ I'm early.
▪ Põe o despertador para as sete da manhã.	→ Set the alarm clock for seven o'clock in the morning.
▪ A que horas tocou o despertador?	→ At what time did the alarm clock go off?
▪ Esta manhã o despertador não tocou.	→ The alarm clock didn't go off this morning.
▪ Acorde-me às 6 horas da manhã, por favor.	→ Please wake me up at six o'clock in the morning.

- A que horas abrem / fecham as lojas? → **What time do the shops open / close?**
- Abrem / fecham às ... horas. → **They open / close at...**
- Quanto tempo demora isso? → **How long does it take?**
- A que horas termina isso? → **At what time does it finish?**
- A que horas devo ir? → **At what time should I come?**
- Posso vir às... horas. → **I can come at...**
- Voltarei daqui a uma hora. → **I'll be back in an hour.**

As estações do ano

The seasons of the year

- A primavera → **spring**
- O verão → **summer**
- O outono → **autumn**
- O inverno → **winter**
- Na primavera → **In the spring**
- No verão → **In the summer**
- No outono → **In the autumn**
- No inverno → **In the winter**
- Durante a primavera → **During the spring**

A anterioridade, a posteridade, a simultaneidade

Anteriority, posterity, simultaneousness

- Antes de... → **Before...**
- Antes que... → **Prior to...**
- Enquanto... → **While...**
- Depois de... → **After...**
- Assim que... → **As soon as / the moment that...**
- Mal... → **No sooner...**
- Durante... → **During...**
- Ao mesmo tempo que... → **At the same time as...**
- Cada vez que... → **Every time that...**
- Sempre que... → **Whenever...**

O tempo cronológico, a data p. 165

A sequência

- Primeiro…
- Em segundo lugar…
- Em terceiro lugar…
- Em seguida…
- Finalmente… / Por fim…

The sequence

→ First…
→ In the second place…
→ In the third place…
→ Afterwards / Then…
→ Finally…

A duração

- Há uma hora que estou à espera de…
- Estou aqui desde as três horas.
- Estou aqui há três horas.
- Estou à espera até (que)…
- Estou à espera desde (que)…

Duration

→ I've been waiting for an hour.
→ I've been here since three o'clock.
→ I've been here for three hours.
→ I am waiting until…
→ I have been waiting since…

vocabulário

A localização The location

◆ Onde…?	Where…?	◆ lá em cima	up there
◆ Onde está / estão…?	Where is / are…?	◆ em baixo	under
		◆ debaixo de	beneath / below
◆ ao lado de / junto a	near / beside	◆ através de	through
◆ perto de	next to / close to	◆ antes de	before
◆ sobre	over	◆ depois de	then / after
◆ em	in / on / at	◆ até	until / till
◆ para / na direção de	for / to	◆ até ao… / à	as far as / up to
◆ dentro de	inside	◆ aqui	here
◆ fora de	outside	◆ ali / acolá	there
◆ em cima de	on top of	◆ à direita	on the right
		◆ à esquerda	on the left

GUIACIN © Porto Editora

Algarismos e números p. 173 ▪ *O tempo cronológico, a data* p. 165   169

Indicar o caminho

- Qual é o melhor caminho para...?
- Siga as placas.
- Atravesse a praça / a ponte / a estrada.
- É melhor voltar para trás.
- É melhor apanhar o metro / o autocarro / o elétrico.
- Tem de contornar a rotunda.
- Deve sair da rotunda na primeira saída.

Showing the way

- What is the best way to...?
- Follow the signs.
- Cross the square / bridge / road.
- It would be easier to go back.
- It would be better to catch the tube / subway / bus / tram.
- You have to go round the roundabout.
- You should come off the roundabout at the first exit.

A localização geográfica / os países

- o Norte
- o Sul
- o Oeste
- o Leste
- Donde vem / De que país vem?
- Venho do, de, da, dos, das...

Geographical location, countries

- North
- South
- West
- East
- Where are you from? / Which country do you come from?
- I come from...

África do Sul	South Africa	Dinamarca	Denmark
Alemanha	Germany	Escócia	Scotland
Angola	Angola	Espanha	Spain
Argélia	Algeria	Estados Unidos	The United States
Argentina	Argentina	França	France
Austrália	Australia	Grécia	Greece
Áustria	Austria	Guiné-Bissau	Guinea Bissau
Bélgica	Belgium	Holanda	Holland
Bolívia	Bolivia	Índia	India
Brasil	Brazil	Indonésia	Indonesia
Canadá	Canada	Inglaterra	England
Chile	Chile	Irlanda	Ireland
China	China	Israel	Israel
Colômbia	Colombia	Itália	Italy

Japão	Japan	São Tomé e Príncipe	São Tomé and Príncipe
Luxemburgo	Luxemburg	Suécia	Sweden
Marrocos	Morocco	Suíça	Switzerland
México	Mexico	Turquia	Turkey
Moçambique	Mozambique	Ucrânia	Ukraine
Noruega	Norway	Uruguai	Uruguay
Paraguai	Paraguay		
Perú	Peru	Timor Leste	East Timor
Portugal	Portugal	Venezuela	Venezuela
Rússia	Russia		

Indicar quantidades, medidas e tamanhos

Expressing quantities, measurements and sizes

expressões

Quanto pesa?

- Pesa
  cem gramas /
  um quarto de quilo
  meio quilo /
  um quilo /
  uma tonelada.

- É leve / pesado.

How much does it weigh?

→ It weights
  a hundred grams /
  a quarter of a kilo /
  half a kilo /
  a kilo /
  a ton.

→ It's light / heavy.

Quanto mede?

- Mede
  cinco milímetros /
  dez centímetros /
  um metro /
  três quilómetros.

- É (demasiado)
  curto /
  comprido.

- Que tamanho usa
  habitualmente?

What's its length?

→ It's
  five millimetres /
  ten centimetres /
  a metre /
  three kilometres.

→ It's (far too)
  short /
  long.

→ What size do
  you usually wear?

Algarismos e números p. 173

▪ Visto 38.	→ I'm size 38.
▪ Deve ser o tamanho médio.	→ It should be a size medium.
▪ Que tamanho(s) tem?	→ What size(s) do you have?
▪ Que número calça?	→ What size shoes do you wear?
▪ Calço…	→ I wear size…
▪ Tem esse número?	→ Have you got that size?

Quanto é que leva / contém?	**What's its capacity? / How much does it take?**
▪ Leva um quarto (de litro) / meio litro / um litro / cinco litros.	→ It takes a quarter (of a litre) / half a litre / a litre / five litres.
▪ É pouco / muito / demasiado.	→ It's little / much (a lot) / too much.
▪ Não chega.	→ It's not enough.
▪ Chega.	→ It's enough.

A moeda Currency

o euro	euro
o franco suíço	Swiss franc
o franco luxemburguês	Luxembourgish franc
o dólar	dollar
a libra	pound
o cêntimo	cent
o quanza	kwanza
o metical	metical

Algarismos e números **Digits and numbers**

Os cardinais **Cardinal numbers**

0	zero	zero	51	cinquenta e um	fifty-one
1	um	one	52	cinquenta e dois	fifty-two
2	dois	two	60	sessenta	sixty
3	três	three	61	sessenta e um	sixty-one
4	quatro	four	62	sessenta e dois	sixty-two
5	cinco	five	70	setenta	seventy
6	seis	six	71	setenta e um	seventy-one
7	sete	seven	72	setenta e dois	seventy-two
8	oito	eight	73	setenta e três	seventy-three
9	nove	nine	74	setenta e quatro	seventy-four
10	dez	ten	75	setenta e cinco	seventy-five
11	onze	eleven	76	setenta e seis	seventy-six
12	doze	twelve	77	setenta e sete	seventy-seven
13	treze	thirteen	78	setenta e oito	seventy-eight
14	catorze	fourteen	79	setenta e nove	seventy-nine
15	quinze	fifteen	80	oitenta	eighty
16	dezasseis	sixteen	81	oitenta e um	eighty-one
17	dezassete	seventeen	82	oitenta e dois	eighty-two
18	dezoito	eighteen	90	noventa	ninety
19	dezanove	nineteen	91	noventa e um	ninety-one
20	vinte	twenty	92	noventa e dois	ninety-two
21	vinte e um	twenty-one	100	cem	a / one hundred
22	vinte e dois	twenty-two	101	cento e um	one hundred and one
30	trinta	thirty	200	duzentos	two hundred
31	trinta e um	thirty-one	201	duzentos e um	two hundred and one
32	trinta e dois	thirty-two	500	quinhentos	five hundred
40	quarenta	forty	501	quinhentos e um	five hundred and one
41	quarenta e um	forty-one	1000	mil	a / one thousand
42	quarenta e dois	forty-two	2000	dois mil	two thousand
50	cinquenta	fifty	1 000 000	um milhão	a / one million

Pagamento e formas de pagamento p. 122

Os ordinais **Ordinal numbers**

1.° primeiro	first	16.° décimo sexto	sixteenth
2.° segundo	second	17.° décimo sétimo	seventeenth
3.° terceiro	third	18.° décimo oitavo	eighteenth
4.° quarto	fourth	19.° décimo nono	nineteenth
5.° quinto	fifth	20.° vigésimo	twentieth
6.° sexto	sixth	21.° vigésimo primeiro	twenty-first
7.° sétimo	seventh	30.° trigésimo	thirtieth
8.° oitavo	eighth	40.° quadragésimo	fortieth
9.° nono	ninth	50.° quinquagésimo	fiftieth
10.° décimo	tenth	60.° sextagésimo	sixtieth
11.° décimo primeiro	eleventh	70.° septagésimo	seventieth
12.° décimo segundo	twelfth	80.° octagésimo	eightieth
13.° décimo terceiro	thirteenth	90.° nonagésimo	ninetieth
14.° décimo quarto	fourteenth	100.° centésimo	hundredth
15.° décimo quinto	fifteenth	1000.° milésimo	thousandth

Os fracionários **Fractions**

1/2 meio	half
1/3 um terço	a third
2/3 dois terços	two thirds
1/4 um quarto	a quarter
2/4 dois quartos	two quarters
1/5 um quinto	a fifth
1/8 um oitavo	an eighth
1/10 um décimo	a tenth
1/12 um duodécimo; um doze avos	a twelfth
1/20 um vigésimo; um vinte avos	a twentieth
1/100 um centésimo; um cem avos	a hundredth
1/1 000 um milésimo; um mil avos	a thousandth
1/1 000 000 um milionésimo	a millionth

Os multiplicativos **Multiples**

duplo	double
triplo	triple
quádruplo	quadruple
quíntuplo	fivefold
sêxtuplo	sixfold
séptuplo	sevenfold
óctuplo	eightfold
nónuplo	ninefold
décuplo	tenfold
cêntuplo	hundredfold

Medidas de comprimento, superfície, volume, capacidade e massa

Measurements of length, surface, volume, capacity and weight

mm	milímetro	millimetre
cm	centímetro	centimetre
dm	decímetro	decimetre
m	metro	metre
km	quilómetro	kilometre
m^2	metro quadrado	square metre
ha	hectare	hectare
m^3	metro cúbico	cubic metre
ml	mililitro	millilitre
cl	centilitro	centilitre
dl	decilitro	decilitre
l	litro	litre
g	grama	gram
kg	quilo(grama)	kilo(gram)
1/4 kg	um quarto de quilo	a quarter of a kilo
1/2 kg	meio quilo	half a kilo
1 kg	um quilo	a kilo

Urgências **Emergencies**

GUIACN © Porto Editora

Esquecimentos

- Esqueci-me da chave
  do carro /
  do quarto /
  de casa.

- Esqueci-me da carteira /
  do dinheiro / dos cheques /
  do cartão de crédito.

Forgetting things

→ I've forgotten my
  car key /
  room key /
  house key.

→ I've forgotten my
  wallet (purse) / money /
  cheques / credit card.

Roubos

- Onde é a esquadra da polícia?

- Quero apresentar uma queixa.

- Roubaram-me a bolsa /
  a mala.

- Ameaçaram-me com uma pistola /
  uma faca.

- Roubaram-me o carro com a
  bagagem.

Thefts / robberies

→ Where's the police station?

→ I'd like to report an incident

→ My handbag / suitcase has been
  stolen.

→ I was threatened with a gun /
  knife.

→ They stole my car with all my
  luggage.

Acidentes

- Pedir socorro / os primeiros
  socorros.

- Chame uma ambulância
  depressa!

- Peça ajuda! / Grite por auxílio!

- Ligue para o 112!

- Não mude a pessoa de posição.

- Vigie o(a) doente enquanto
  espera pela ambulância!

- Instale-o(a) na posição lateral
  de segurança (de lado e com
  a cabeça ligeiramente inclinada
  para trás).

- Respire fundo!

- Não se mexa!

- Fale comigo!

- Esteja tranquilo. / Tenha calma.

- Eu vou estar ao seu lado.

Accidents

→ Ask for help / first aid.

→ Call an ambulance quickly!

→ Call for help / Shout for help!

→ Phone 999 (RU) / 911 (EUA)!

→ Don't change the person's position.

→ Keep an eye on her / him while you
  wait for the ambulance.

→ Place the person in lateral position
  for safety (sideways, with the head
  slightly backwards).

→ Breathe deeply!

→ Don't move!

→ Talk to me!

→ Keep calm.

→ I'll stay right here with you.

Algarismos e números p. 173 ▪ *Quem? Indicar alguém* p. 160